365
activités
avec mon bébé

365

activités
avec mon bébé

Une idée par jour jusqu'au premier anniversaire de votre bébé !

auteur
susan elisabeth davis

conseillers
dr. roni cohen leiderman & dr. wendy masi

illustratrice
christine coirault

photographe
aaron locke

traduction : Anne Berton

GYMBOREE PLAY&MUSIC

L'association Gymboree propose des activités d'éveil et de jeu parents-enfants axées sur la motricité et la musique. Recommandé par des spécialistes de la petite enfance, Gymboree compte près de 500 centres aux États-Unis et est présent dans plus de 20 pays dans le monde, notamment en France qui compte un nombre croissant de centres.

Pour plus de renseignements :

www.gymboree-france.com

© 2005 Gym-Mark, Inc. and Weldon Owen Inc.
ISBN de l'édition originale : 0 9757361-5-9

© Éditions Nathan, Paris, 2007 pour la présente édition en langue française.
ISBN : 978-2-09-278115-9
N° d'éditeur : 10174148
Imprimé en Chine

sommaire

À partir de
six mois

173

À partir de
neuf mois

267

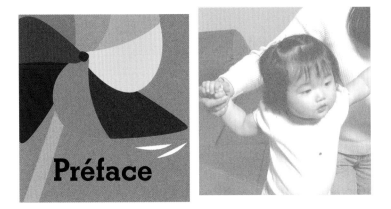

Préface

Chatouilles, cache-cache, chansonnettes et drôles de bruits : les parents utilisent toutes sortes de jeux pour communiquer avec leur tout-petit. Le jeu est universel, et c'est la façon la plus naturelle de se rapprocher de son bébé. Mais cela va bien au-delà d'un simple amusement ; c'est par le jeu que les bébés prennent conscience d'eux-mêmes, des autres et du monde qui les entoure.

Gymboree vous propose *365 activités à partager avec votre bébé* : une idée par jour pour vivre pleinement cette première année, si importante. Ces activités ont été conçues non seulement pour amuser votre enfant, mais aussi pour l'aider à découvrir le monde, à développer ses capacités physiques et mentales. La plupart de ces activités proviennent des programmes

Jeux et Musique de Gymboree, dont le succès ne se dément pas. Et pour correspondre aux grandes étapes de l'évolution de votre bébé, elles ont été réparties en quatre chapitres, par périodes de trois mois, depuis la naissance jusqu'à l'âge d'un an.

Profitez de la première année de votre nouveau-né. Les 365 jours qui vous attendent sont un voyage qui vous apportera plus de joie, de plaisir et de découverte que vous ne pouvez l'imaginer. Chaque jour vous donnera l'occasion de découvrir des activités éducatives que votre bébé appréciera... Nous espérons que ce livre constituera une grande source d'inspiration !

Dr. Roni Cohen Leiderman

Dr. Wendy Masi

Dès la naissance

Les nouveau-nés sont fascinants ; leurs sens se développent, ils sont très réceptifs à ce que vous faites, et ils font leur première expérience du monde. À cet âge, jouer correspond plus à des moments de plaisir, de rapprochement et de confiance qu'à des activités interactives. Pendant ces trois premiers mois, vous pouvez aussi aider votre bébé à développer ses muscles et ses capacités sensorielles. Prenez votre temps et laissez-le prendre le sien pour ne pas trop le stimuler.

1

l'apaiser par des battements de cœur

Des scientifiques ont montré que les nouveau-nés apprécient d'entendre les battements d'un cœur humain, son dont ils avaient l'habitude quand ils étaient dans l'utérus. Pour réconforter bébé, allongez-vous en le posant sur votre poitrine, peau à peau. Ou bien asseyez-vous et laissez sa tête reposer contre le côté gauche de votre poitrine, là où, d'après le psychologue Lee Salk, se placent la plupart des bébés *in utero*. Vous verrez que le son et la sensation de votre cœur qui bat peuvent apaiser votre nouveau-né.

2

lui parler souvent

Bébé fait très attention au son de votre voix et aux expressions
de votre visage, et il a besoin des deux pour apprendre à parler.
Parlez-lui doucement pour le calmer et, à d'autres moments,
parlez rapidement avec une intonation montante
et de nombreuses mimiques : vous verrez ses yeux s'agrandir
et sa petite tête tressaillir d'excitation.

3

jouer avec son reflet dans la glace

Les tout-petits sont fascinés par les visages, surtout
par ceux d'autres enfants. Laissez bébé se contempler
un moment dans un miroir. Il ne saura pas
qui lui renvoie son regard avant d'avoir entre
douze et quinze mois, mais il aimera ce qu'il voit.

4

se laisser guider par son bébé

Le regard attentif d'un tout-petit est un véritable
enchantement, en partie parce qu'il est le signe
évident de son intelligence et de sa réactivité.
Mais l'esprit des tout-petits n'est en éveil qu'une
demi-heure environ de suite, et peut facilement
être trop stimulé si on lui impose beaucoup d'activités.
Comment savoir si bébé en a assez ? Soyez à son écoute.
Il détourne peut-être la tête, ou bien il commence
à pleurer, ou à bâiller. Si vous respectez ses besoins
d'espace ou de communication, il saura lui-même
distinguer quand il a besoin de s'arrêter.
En conséquence, il sera plus confiant pour appréhender
sa place dans le monde, et l'effet qu'il y produit.

5

s'allonger sous un arbre

Votre nouveau-né pourra avec vous regarder danser l'ombre et la lumière, sentir la brise sur sa peau et écouter le léger bruissement des feuilles.

en promenade

Une promenade dans la nature, en poussette
ou en porte-bébé, aura un effet apaisant (et fascinant !)
sur la plupart des bébés. Et le plein air fait aussi
des merveilles sur les jeunes parents...

lui faire découvrir
des textures différentes

Caressez le corps de bébé avec de grands carrés de tissu,
velours, fausse fourrure, satin... Quand il pourra attraper
des objets, il se saisira des carrés et les frottera entre ses
doigts (attention : les carrés doivent mesurer au moins 15 cm
de côté pour éviter tout risque d'étouffement). Vers l'âge
de six mois, il en choisira peut-être un comme doudou.

8

c'est le matin...

Dites bonjour à bébé avec ce poème de Victor Hugo
(*Les Chants du crépuscule*) :

L'aurore s'allume,
L'ombre épaisse fuit ;
Le rêve et la brume
Vont où va la nuit ;

Paupières et roses
S'ouvrent demi-closes ;
Du réveil des choses
On entend le bruit.

9

regarder par la fenêtre

Laissez votre enfant regarder tranquillement par la fenêtre.
Le balancement léger des rideaux dans la brise, le va-et-
vient des ombres, la vue des oiseaux au-dehors ainsi que
leurs bruits l'émerveilleront, stimuleront sa vision et
aiguiseront sa capacité à repérer la provenance des bruits.

10

l'habiller comme soi

Dès que vous aurez ramené votre tout-petit à la maison, les gens bien intentionnés vous diront comment l'habiller. On vous recommandera souvent de le couvrir davantage. Mais une couche trop épaisse de vêtements peut se révéler dangereuse. Si les nouveau-nés ont besoin d'être bien couverts parce qu'ils ne peuvent pas réguler leur température, après le premier mois, le corps de bébé est capable de conserver la chaleur.

Voici une règle simple : regardez la façon dont vous êtes habillé, et faites pareil pour votre bébé, en prévoyant simplement une couche supplémentaire s'il vient de naître. Après le premier mois, bébé n'a pas besoin de porter plus de vêtements que vous (sauf si vous transpirez après avoir fait de l'exercice, ou après une autre activité).

11

" Les yeux dans les yeux...
C'est comme ça
que je sens ton amour
et que j'apprends à parler
sans mots. **"**

redécouvrir des airs connus

Les nouveau-nés apprécient la musique qu'ils ont entendue quand ils étaient encore dans le ventre de leur mère : Bach, les Beatles ou l'interprétation inspirée d'*À la claire fontaine* par le grand frère. L'esprit de bébé sera stimulé par cette musique familière, qui l'aidera à sentir que son nouveau monde est sûr et intéressant.

produire des sons étranges

Bébé adore vous entendre parler et rire. Vous pouvez stimuler son développement auditif en émettant toutes sortes de sons étranges. Gloussez comme un perroquet, imitez le bruit d'un Klaxon ou dites « bonjour, bonjour ! » d'une voix haut perchée. Ça l'amusera et, un jour, il vous surprendra en émettant lui-même des sons bizarres.

14

faire le tour de son corps

Ces petites chatouilles aident bébé à prendre conscience de son corps.

Tout autour de tes petits pieds
Avec vos doigts, faites le tour des pieds de bébé,
L'oiseau chante avec gaieté
tapotez-lui légèrement les pieds.
Tout autour de tes jolis yeux
Avec vos doigts, faites le tour de sa tête,
L'oiseau chante, tout heureux
Embrassez-lui le front.

15

vive les chatouilles !

Vous pouvez chatouiller votre bébé avec un plumeau propre pour l'aider à prendre conscience des limites de son corps. Continuez à le « dépoussiérer », et, vers trois mois, il éclatera de rire chaque fois que vous lui présenterez ce jouet.

16

quelques étirements...

Étirer les bras et les jambes de votre nouveau-né l'aide à quitter la position fœtale et à prendre conscience de ses membres. Tirez délicatement ses bras au-dessus de sa tête, l'un après l'autre, puis tirez lentement ses jambes vers le bas, l'une après l'autre, jusqu'à ce que les membres soient presque droits. Arrêtez-vous bien sûr si bébé n'apprécie pas ces étirements.

17

tapoter le dos de bébé

Quand bébé est grognon, fatigué, tapotez-lui doucement le dos. Cela apaise les maux de ventre, peut lui faire oublier une activité trop importante autour de lui et le rassure simplement en lui montrant que vous êtes là.

18

porter son bébé

Vous vous apercevrez rapidement que vos bras et votre poitrine sont l'endroit préféré de bébé. D'ailleurs, de nombreux bébés commencent à pleurer dès qu'on les pose. Ce besoin de contact physique et de mouvement rythmique est naturel ; c'est son instinct qui lui dit qu'il a besoin d'être près de quelqu'un pour être en sécurité. Accédez à son désir de contact en le portant contre vous, dans un porte-bébé ventral ou latéral. Une étude souvent citée des relations mère-enfant a révélé que des bébés de six semaines que l'on portait ainsi au moins trois heures par jour pleuraient moitié moins que les autres. Cela aide aussi bébé à développer les muscles nécessaires pour s'asseoir, se mettre debout et marcher, parce qu'il est dans une position debout ou semi-debout, qui renforce naturellement son cou et les muscles de son dos.

19

imiter bébé

Quand bébé essaie de vous imiter, cela montre que vous êtes son premier professeur, le plus important. Imaginez alors à quel point il se sentira flatté si vous imitez ses gazouillis, ses petits « arreuhs » et ses sourires un peu tordus. C'est un moyen merveilleux de lui donner le sentiment d'être quelqu'un d'important.

20

à bicyclette...

Faire pédaler bébé l'aide à prendre davantage conscience de son corps. Cela renforce également ses muscles abdominaux et lui fait comprendre l'idée de mouvements alternatifs (une jambe après l'autre), qu'il lui faudra maîtriser pour ramper. Vous apprécierez aussi ces moments de face-à-face.

21

une chanson douce

Quand bébé est grincheux, chantez-lui une berceuse
qui a fait ses preuves pour le calmer :

Dodo, Berline, sainte Catherine,
Endormez-moi cet(te) enfant
Jusqu'à l'âge de quinze ans.
Si l'enfant s'éveille
Tirez-lui l'oreille
Si l'enfant dort bien,
Elle (il) aura un gros câlin.

22

suivre la mesure

Danser avec bébé est une technique éprouvée pour l'aider à s'endormir ou à se calmer, grâce au léger balancement et au contact physique. Certains bébés aiment les berceuses, d'autres le rock. Quels que soient les goûts du vôtre, le serrer dans vos bras tout en esquissant quelques pas de danse est une excellente façon de vous rapprocher de lui. Plus tard, des souvenirs pleins de tendresse vous reviendront quand vous entendrez la musique sur laquelle vous avez dansé avec votre bébé.

23

" Fais-moi jouer sur une couverture...
Quand je suis sur le dos,
je peux étendre bras et jambes,
lever la tête et agiter les mains. **"**

voler comme l'avion

Prenez bébé sous le ventre, visage vers le bas. Beaucoup de tout-petits apprécient cette position quand ils ont mal au ventre ou qu'ils sont fatigués. Faites-le « voler » doucement, cela l'apaisera et l'amusera.

25

transformer le change en jeu

Donnez à bébé une couche propre, et reprenez-la avec un « merci » enjoué. Puis chantez « Elles montent, elles montent, les petites fesses » et « Elle vient, elle vient, la couche toute propre », sur l'air de votre choix, tout en le changeant. De même qu'un rituel de coucher peut l'aider à bien dormir, un rituel bien rodé peut encourager la coopération au moment du change.

26

faire claquer ses lèvres

De légers bruits de baiser apaisent bien des bébés grognons.
L'anthropologue Ashley Montagu écrivait dans son livre
La Peau et le Toucher : « L'enfant associe les sons et les lèvres
qui les produisent à des moments de plaisir »,
à des baisers par exemple.

27

jouer avec des assiettes en carton

Servez-vous de l'attirance que bébé éprouve envers
les visages pour lui apprendre à suivre les objets du regard,
c'est-à-dire à déplacer en même temps les yeux et la tête.
Dessinez un visage souriant sur une assiette en carton ou sur un
morceau de papier rond. Tenez le dessin à une distance de 20 à
40 cm de son visage, et déplacez-le lentement de gauche à droite.

le toucher

Les très jeunes enfants ont besoin de la chaleur
d'un autre être humain. Des chercheurs
sud-africains ont observé récemment
que les bébés qui étaient souvent en contact
peau à peau avec leur mère se refroidissaient
plus lentement et respiraient mieux
que ceux qui passaient leurs premiers jours
dans une couveuse.

29

suivre un poisson des yeux

Placez votre enfant devant un aquarium,
dans un magasin, chez vous ou ailleurs.
Il s'amusera à regarder les poissons nager ici
et là, ce qui l'aidera à suivre des yeux des objets.

30

souffler doucement

Souffler doucement sur la peau de bébé accroît son sens du toucher. Soufflez-lui sur les doigts, sur le ventre et sur les orteils quand vous changez sa couche. Cela peut le distraire s'il s'impatiente au cours de la manœuvre ; peut-être même cela le fera-t-il sourire !

31

écouter un carillon éolien

L'ouïe est le premier sens qui se développe complètement chez le nouveau-né (même les fœtus peuvent entendre dans l'utérus). Le carillon éolien stimule l'ouïe (sans parler de la vue), et bébé adorera l'écouter tintinnabuler tout en regardant son balancement.

32

faire plaisir par un sourire

Souriez à bébé. Cet acte simple lui donne le sentiment d'être important et lui montre que vous l'aimez.Quand il vous sourira à son tour, vous aussi vous vous sentirez aimé(e).

33

souffler sur un moulin à vent

La rotation et les couleurs vives d'un moulin fascinent les bébés, même très jeunes, et, vers trois mois, ils peuvent essayer de s'emparer de cette roue qui tourne. Pour que bébé la voie bien, tenez-la à environ 60 cm de son visage et soufflez dessus. Mais ne la lui laissez pas, ses bords peuvent être coupants.

34

câliner et bercer

Serrez bébé contre vous quand il est perturbé en
l'enveloppant bien de vos bras. Bercez-le doucement
tandis qu'il regarde par-dessus votre épaule. Ou bien
placez sa tête sous votre menton pour qu'il ressente de
légères vibrations quand vous parlez ou que vous fredonnez.

35

l'encourager à rêver

S'il est bon de stimuler bébé, n'oubliez pas qu'il a parfois
besoin, comme les adultes, de se laisser aller à la rêverie.
S'il contemple son mobile ou qu'il s'entraîne à lever
et à baisser sa petite main, laissez-le profiter de ce moment
de calme. Il n'apprend pas seulement à s'amuser tout seul,
il accroît aussi sa capacité de concentration.

36

lui lire des histoires

Votre nouveau-né ne comprendra pas les histoires que
vous lui lisez, mais, lové dans vos bras, il adorera écouter
votre voix. Et les études montrent que les bébés auxquels
on fait la lecture très tôt entendent plus de mots
et maîtrisent un vocabulaire plus étendu par la suite.

37

prononcer souvent son nom

Votre nouveau-né ne sait pas qui il est,
il ignore qu'il est un individu doté d'un nom propre.
Répétez-lui souvent son prénom d'une voix tendre.
Cela l'aidera à apprendre qu'il est aimé, et aussi
qu'il est unique.

une autre chanson douce

Chanter une chanson à bébé alors qu'il s'endort est un rituel éprouvé et apprécié. Voici une version de la berceuse de Brahms à ajouter à votre répertoire :

Bonne nuit,
Cher trésor,
Ferme tes yeux et dors.
Laisse ta tête s'envoler,
Au creux de ton oreiller.

Un beau rêve passera,
Et tu l'attraperas.
Un beau rêve passera,
Et tu le retiendras.

39

cligner des yeux

Fixez bébé et clignez rapidement des yeux. Cela peut le
faire sourire, et lui donner quelque chose à imiter !

40

lui faire un massage

Un massage léger a un effet bénéfique sur les systèmes digestif
et circulatoire immatures des très jeunes enfants. Choisissez
un moment où vous êtes détendu(e) et où bébé est réceptif.
Enlevez-lui ses vêtements. Enduisez vos mains d'une huile
comestible naturelle et sans parfum (huile d'amande douce,
de raisin ou d'olive). Massez délicatement ses bras,
ses jambes, son dos et son ventre. Évitez les produits à base
d'huiles minérales, qui peuvent laisser un film graisseux
et obstruer les pores, ainsi que l'huile d'arachide, allergène.

41

❝Fais-moi des grimaces...
Je n'avais que quelques heures
quand j'ai commencé à imiter
tes mimiques, tes grands sourires,
tes yeux écarquillés de surprise.❞

42

le laisser serrer vos doigts

Si vous lui caressez la paume de la main, votre tout-petit
aura le réflexe de refermer ses petits doigts
et de s'accrocher aux vôtres. Même s'il ne s'agit
que d'un réflexe, cela favorise l'attachement et lui fait
découvrir le plaisir du toucher.

43

agiter des rubans

Encouragez l'intérêt croissant de bébé pour les
mouvements et les couleurs. Attachez quelques rubans
courts (environ 15 cm de long) sur un bracelet ou sur un
cintre. Faites voler les rubans devant lui, en les laissant
chatouiller ses bras et ses jambes. En grandissant,
il essaiera d'attraper ces rubans magiques.

44

nommer les parties du corps

Après le bain, apprenez à votre bébé comment s'appellent les parties de son corps : passez-lui un gant de toilette sur tout le corps en vous arrêtant pour nommer la partie à laquelle vous arrivez.

45

sentir une rose

Bébé est né avec un sens de l'odorat extrêmement développé. Tout de suite après la naissance, les tout-petits reconnaissent l'odeur de leur mère : ils trouvent le sein en partie grâce à l'odorat. Stimulez l'odorat de votre enfant en lui faisant respirer des odeurs agréables : des fleurs, des oranges, de l'extrait de vanille...

46

faire un tour en voiture

Beaucoup de bébés agités se calment et s'endorment
lors d'un trajet en voiture. Parfois, il leur faut
cinq minutes, parfois un quart d'heure, voire plus.
Si la voiture apaise votre bébé, multipliez les sorties !

47

voyager avec des jouets

Certains jours, un grand sac plein de trésors sera le seul
moyen d'éviter que bébé ne fasse une crise en voiture.
Remplissez le sac de hochets, de petits livres
et de jouets ; changez souvent le contenu pour avoir
toujours une nouvelle distraction à portée de main.

48

tout en noir et blanc...

Votre tout-petit voit plus facilement le contraste entre de grands dessins au graphisme simple, en noir et blanc, que les formes subtiles de dessins de couleurs vives. Pour stimuler sa vue, suspendez des images en noir et blanc (un mobile ou un morceau de tissu encadré). Vers l'âge de deux mois, bébé sera capable de distinguer des nuances de gris presque aussi bien que vous.

49

se balancer ensemble

Le balancement paisible d'un hamac détend
les bébés et stimule leur système vestibulaire
— le mécanisme par lequel le corps garde
l'équilibre et régule les mouvements
dans l'espace. Si votre hamac est en corde
tressée, recouvrez-le d'une serviette épaisse
pour que la tête et le dos de bébé reposent
confortablement et pour que ses mains
et ses pieds ne risquent pas de se prendre
dans les mailles. Ne laissez pas bébé seul,
et ne vous endormez pas avec lui
dans le hamac : s'il roule vers vous, il ne sera
peut-être pas capable de relever la tête
pour respirer.

50

agiter des hochets

Quand bébé aura montré qu'il est capable de tenir
des objets, il aimera agiter des hochets légers.
La première fois, ce sera involontaire.
Mais en entendant le bruit, il finira par comprendre
que la cause (agiter le jouet) produit un certain effet
(le bruit). Commencez avec des hochets légers,
en plastique ou en tissu ; les hochets lourds sont trop
difficiles à manier pour les bébés, qui peuvent
se cogner la tête avec.

51

chanter une chanson de bain

Chantez cette comptine sur l'air de *Frère Jacques*
pour amuser votre bébé pendant le bain :

On se lave,
On se lave,
Les orteils,
Les orteils,
Les genoux et les coudes,
Les genoux et les coudes,
Et le nez
Et le nez

52

prendre un bain avec son bébé

Prendre un bain ensemble fait partie
des grands plaisirs de la vie, pour un bébé
comme pour ses parents. Prenez bébé dans vos
bras, éclaboussez-le délicatement,
et faites-lui découvrir la texture d'un gant
ou d'une éponge. Veillez à la température
de l'eau. Avant de sortir de la baignoire,
confiez bébé à un autre adulte ou placez-le
sur une serviette épaisse à côté de la baignoire ;
ne vous levez jamais avec un bébé mouillé
et glissant dans les bras.

53

"**Frotte-moi les orteils...**
Ça stimule la circulation
et ça me fait prendre conscience
des limites de mon corps."

54

taquiner les orteils ou les doigts

Ce jeu traditionnel réjouit toujours les tout-petits :

Petit Pouce part en voyage
Saisissez son pouce ou son gros orteil,
Celui-ci l'accompagne
saisissez l'index ou le second orteil,
Celui-ci porte la valise
saisissez le majeur ou le troisième orteil,
Celui-là tient le parapluie
saisissez l'annulaire ou le quatrième orteil,
Et le tout-petit court derrière lui
saisissez en l'agitant l'auriculaire ou le petit orteil.

55

jouer à cache-cache

Regardez bébé. Détournez les yeux. Regardez-le
à nouveau, puis détournez les yeux.
Écoutez ! il vous rappellera avec des gazouillis.

56

instaurer un rituel de coucher

Dans ce monde plein de surprises, les bébés adorent
le sentiment de sécurité qu'apporte le côté répétitif
des rituels, surtout quand il est l'heure d'aller
se coucher. Quand vous mettrez au point votre rituel
avec bébé, incluez-y des activités qu'il apprécie
mais qui ne sont pas trop excitantes. Vous pouvez
avoir recours à un bain chaud et délassant, ou à une petite
toilette, avant de lui enfiler un pyjama propre.
Il n'est jamais trop tôt pour instaurer l'habitude
de lire une histoire le soir.

Puis un peu de musique douce, une berceuse,
un repas ou un câlin réconfortant dans un fauteuil
à bascule. Vous pouvez aussi discuter des événements
de la journée ; il prendra bientôt part
à la conversation. Quand le rituel sera installé,
il pourra être suivi des mois, voire des années.

57

le fasciner avec un mobile

Vers l'âge de deux mois, les bébés sont intrigués par les mobiles musicaux. Les petits jouets colorés qui tournent et les mélodies apaisantes stimulent à la fois la vue et l'ouïe. Amusez votre enfant en suspendant un mobile au-dessus de son lit ou de la table à langer. Pour que bébé ne se prenne jamais dans les ficelles du mobile, installez-le à une distance d'au moins un bras d'adulte.

58

faire monter la petite bête

Bébé ne pourra pas imiter le mouvement de
votre main avant l'âge d'un an environ, mais il
adorera écouter l'histoire de la petite bête
condamnée à redescendre, d'autant que les
mouvements de votre main sur son corps
stimuleront son sens du toucher :

*La petite bête qui monte, qui monte,
qui monte, qui monte...*
Faites grimper votre main le long du corps
de bébé, jusqu'à la tête.

... et qui descend !
Faites brusquement redescendre votre main
jusqu'en bas.

59

jouer avec les ombres

Les bébés, intrigués par les mouvements ainsi que par l'alternance du clair et du sombre, sont souvent fascinés par les ombres. Dans une pièce obscure, dirigez la lumière d'une lampe de poche vers son mobile, ou agitez les doigts devant une lampe pour projeter des ombres sur un mur. Regardez ses yeux s'écarquiller et ses pieds gigoter de bonheur.

60

place au changement

Un bébé s'ennuie quand on lui présente trop souvent la même chose. Accrochez d'autres tableaux à côté du lit, donnez-lui un nouveau hochet ou une peluche. Changer légèrement l'environnement de bébé de temps en temps l'aide à mieux percevoir ce qui l'entoure.

61

se balancer

Ne sous-estimez jamais les propriétés relaxantes d'un bon vieux rocking-chair. Bébé et vous pourrez évacuer le stress d'une journée en vous balançant doucement. Bébé entendra votre voix, sentira votre chaleur et s'assoupira peut-être sur votre épaule. Il commencera aussi à sentir le rythme des mouvements réguliers de bascule.

62

répondre à ses cris

Venir quand bébé vous appelle lui apprend qu'il a une certaine emprise sur son monde, que vous l'aimez et qu'il peut vous faire confiance. Ne vous inquiétez pas, vous n'en ferez pas un enfant gâté. Vous lui montrerez seulement que ses besoins ont de l'importance pour vous.

le faire sauter sur vos genoux

Un tout-petit appréciera que vous le fassiez doucement sauter sur vos genoux, à condition qu'il puisse tenir sa tête pendant que vous le soutenez bien. Assurez-vous de ne pas trop le secouer. Pour plus d'amusement, vous pouvez le faire au rythme de cette comptine :

Bateau, sur l'eau,
La rivière, la rivière,
Bateau, sur l'eau,
La rivière au bord de l'eau.

64

"Embrasse-moi le ventre...
Ça chatouille, ça me fait
sourire, et ça m'apprend
où est mon ventre.**"**

trouver le bon moment

Les bébés sont en éveil pendant des périodes très courtes.
C'est quand votre tout-petit est calme et attentif à son
environnement qu'il sera le plus réceptif. Présentez-lui alors
de nouveaux jouets, livres et airs de musique.

lui faire faire des « abdos »

Cet exercice aidera votre enfant à renforcer les muscles de
son cou. Allongez-le sur le dos sur une couverture et asseyez-
vous à ses pieds, face à lui. Puis attrapez les coins supérieurs
de la couverture avec les deux mains pour qu'elle entoure
bien sa tête et le haut du corps, comme un porte-bébé.
Tirez-le doucement vers vous, puis faites-le descendre. À
répéter plusieurs fois lentement.

67

des choses à regarder

À cet âge, bébé a tendance à avoir la tête sur le côté quand il est allongé. Donnez-lui quelque chose à regarder en plaçant des jouets colorés ou des dessins au graphisme simple dans la zone où porte son regard (si vous utilisez de la ficelle pour suspendre un objet, veillez à le mettre hors de sa portée).

68

agiter des jouets devant bébé

Vers l'âge de deux mois, bébé va essayer d'attraper les objets. Tenez une peluche, un hochet ou des cuillères en plastique devant lui. Mais ne les lui donnez pas trop rapidement, et ne les enlevez pas trop vite de sa portée. Pour avoir le sentiment d'avoir réussi, il doit viser l'objet et s'en saisir.

69

l'intégrer
à la vie de famille

Il vous est presque impossible de passer
tout votre temps à communiquer avec bébé.
Mais vous pouvez être avec lui tout
en faisant autre chose en l'installant dans
un endroit fréquenté de la maison.
Placez bébé en sécurité dans son cosy
ou son transat et laissez-le regarder
les membres de la famille occupés
dans la cuisine ou au salon.
Il peut aussi les entendre quand ils passent,
ce qui lui donnera l'impression
de prendre part à l'action.

70

on sort !

Luttez contre la claustrophobie en faisant de petits trajets ensemble tous les jours. Vous pouvez emmener bébé presque partout, au marché, au jardin public, au centre commercial. Il sera stimulé par la vue de nouvelles choses, et découvrira toutes sortes de situations.

71

lui caresser les mains

Aidez bébé à prendre davantage conscience de la façon
dont ses mains s'ouvrent et se ferment. Quand ses poings
sont bien fermés, caressez-lui le dos de la main,
ce qui en général a pour effet de la lui faire ouvrir.

72

changer de perspective

Proposez un nouveau point de vue à votre tout-petit
et renforcez son corps en même temps en l'appuyant
sur le côté sur une couverture roulée en boule
ou en le retournant sur le ventre. Soyez attentif(ve)
à tout signe d'ennui ou de fatigue, par exemple s'il
pleure ou s'agite. Et n'oubliez pas de le mettre
sur le dos quand il est l'heure de dormir.

73

tenir le journal de bébé

Vous avez peut-être l'impression que vous n'oublierez jamais sa première esquisse de sourire, ou ses premiers gazouillis. Mais les souvenirs d'aujourd'hui céderont bientôt la place à d'autres. Prenez quelques notes chaque semaine sur les merveilleuses découvertes de votre bébé. Conservez votre journal dans un endroit facile d'accès, sur votre table de chevet par exemple ou dans le sac à langer, si vous trouvez un moment dans une salle d'attente.

Vous pouvez prendre les empreintes des mains et des pieds de bébé, peut-être tous les trois mois, pour en faire une série. Utilisez une encre non toxique, lavable, relativement foncée, que vous trouverez dans une papeterie. Pour une empreinte réussie, appliquez d'abord l'encre, puis le papier, fermement, sur le pied. Un jour, quand votre enfant verra ces œuvres d'art, il aura du mal à croire qu'il a été aussi petit (et vous aussi !).

74

encore une chanson douce

Il est trop jeune pour manger des gâteaux
ou du chocolat, mais ce grand classique pourra
néanmoins lui plaire :

Fais dodo, Colas mon p'tit frère,
Fais dodo, t'auras du lolo.
Maman est en haut, qui fait des gâteaux,
Papa est en bas, qui fait du chocolat,
Fais dodo, Colas mon p'tit frère,
Fais dodo, t'auras du lolo.

♡ ✗ ✗ ✗

75

admirer des frimousses de bébés

Des chercheurs britanniques ont montré récemment
que les bébés, même nouveau-nés, sont plus attirés par
des dessins qui ressemblent à des visages que
par d'autres dessins. Ils les examinent et apprennent
ce que véhiculent les différentes expressions. Montrez
à bébé les visages que contient tel ou tel livre.
Lesquels le font sourire ? Lesquels l'étonnent ?

76

bonjour, bonjour

C'est avant tout dans sa famille que bébé apprend
les émotions (y compris le bonheur, la tristesse ou la joie de voir
un être aimé). Montrez-lui comment les gens se saluent
en lui faisant un large sourire et en lui disant joyeusement
bonjour, et ce plusieurs fois par jour. Il apprendra
en vous regardant et imitera bientôt ce que vous faites.

77

apprendre la patience

Les nouveau-nés ont besoin de temps pour comprendre
comment réussir ce qu'ils veulent faire, qu'il s'agisse d'attraper
quelque chose, de donner un coup de pied à un jouet,
ou d'imiter vos mimiques. Soyez patient(e). Si vous vous
précipitez pour aider bébé ou que vous vous détournez
avant qu'il ait terminé, il va se décourager.

78

tirer la langue

Les bébés naissent en sachant imiter la plupart des expressions qu'ils voient sur notre visage. Essayez donc de tirer la langue et voyez si bébé vous répond de la même façon ! Ou bien ouvrez grand la bouche pour dire « Aaaaaahhhh » plusieurs fois, il se peut qu'il ouvre la bouche et vous réponde « Aaaaaahhhh ».

# 79

l'orner de bracelets à clochettes

Aidez bébé à comprendre qu'il possède des mains et qu'il peut s'en servir, en mettant un petit bracelet coloré à breloques autour de son poignet.
Vérifiez que les clochettes et les perles sont attachées solidement au bracelet.

80

faire des câlins

De nombreuses études ont montré que les câlins libèrent une hormone apaisante, l'ocytocine (aussi appelée « hormone du bien-être ») chez l'enfant comme chez ses parents. Prenez souvent bébé dans vos bras : cela vous calmera, vous et bébé, et vous rendra encore plus proches.

81

réussir à l'habiller

Il peut être difficile d'habiller un enfant qui manifeste son désaccord en secouant la tête, en agitant les bras, en hurlant. Essayez de chanter ou de jouer à cache-cache pour le distraire. S'il n'aime pas être nu, couvrez-le d'une couverture légère. Choisissez des vêtements pratiques, comme des hauts avec une ouverture large, des pyjamas avec des fermetures Éclair et des pantalons à taille élastique.

82

"Pose-moi sur un gros ballon de plage...
Fais-moi rouler doucement
en avant et en arrière
en me tenant bien sur le ballon,
ça me donnera le sens
de l'équilibre et renforcera
les muscles de mon cou.**"**

83

installer un portique

Même si bébé est trop petit pour attraper les jouets suspendus à un portique, vous pouvez quand même l'allonger dessous pour qu'il puisse les regarder. Il aura tellement envie de toucher ces jolies formes colorées qu'il tendra bientôt les mains dans leur direction.

84

rationner les jouets

Il est tentant d'offrir à votre enfant des tas de jouets, mais retenez-vous. Puisqu'il ne peut tenir qu'un seul objet à la fois, il risque de se sentir perdu ou frustré s'il y a trop de choses dans son champ de vision. Donnez-lui un ou deux jouets, et remplacez-les quand il semble s'ennuyer. Cela l'aidera aussi à se concentrer, et l'empêchera d'être trop stimulé.

85

à vue d'œil

Les nouveau-nés ne distinguent bien que des
objets placés entre 20 et 40 cm de leur nez,
distance idéale pour voir le visage d'une maman
quand on tète. Mais bébé est incapable de suivre
un objet qui se déplace d'un côté à l'autre
(en fait, il ne sait même pas que son champ
de vision serait plus large s'il déplaçait la tête
en même temps que ses yeux). Pour l'aider
à renforcer ses muscles oculaires, pour qu'ils
fonctionnent ensemble, bougez lentement
des objets de couleurs vives (des peluches
ou des mouchoirs) devant lui, de gauche à droite
et de droite à gauche. Vers l'âge de trois mois,
ces exercices l'inciteront à tendre la main
et à agripper l'objet, ce qui indique
le début d'une coordination
entre l'œil et la main.

86

faire un mini-massage

Si vous n'avez pas le temps de faire à bébé un massage
complet, passez simplement quelques minutes
à le caresser doucement, de l'épaule au poignet,
de la cuisse au pied, de la poitrine au ventre. Vous
découvrirez peut-être que bébé préfère cela
à un massage plus complet.

87

l'encourager à lever la tête

Pour inciter un bébé à lever la tête — ce qui l'aide
à renforcer les muscles de son cou —, rien ne vaut son
papa ou sa maman. Quand bébé est sur le ventre, placez-
vous de telle sorte qu'il puisse voir votre visage s'il lève
la tête. Appelez-le. Cet exercice peut se révéler fatigant,
soyez donc attentif(ve) à tout signe d'énervement.

3+

À partir de trois mois

La période de trois à six mois, souvent appelée lune de miel, est celle où les sourires s'épanouissent, les rires fusent, les mains explorent et les pieds gigotent joyeusement. De nombreux bébés peuvent maintenant rester assis, ce qui est extrêmement important pour voir le monde plus clairement et pour manipuler des objets avec plus de précision. La plupart des enfants apprennent aussi à communiquer par le babil, le rire et le sourire.

88

à la rencontre de madame Cuillère et de madame Fourchette

Si bébé s'agite trop au restaurant, présentez-lui madame Fourchette et madame Cuillère. Prenez la fourchette et la cuillère et faites-les danser, parler et se cacher derrière la carafe, le sac ou le menu.

89

bercer, balancer

Voici une comptine sur laquelle vous pourrez bercer bébé :

Un éléphant se balançait,
Sur une toile, toile, toile,
Toile d'araignée,
Il trouvait ce petit jeu,
Tellement amusant,
Que soudain...
Deux éléphants se balançaient...
Continuez autant que vous voudrez.
Que soudain ZIM BOUM CRAC
Arrêtez soudainement.

90

lui faire découvrir une boîte à musique

Bébé aimera entendre le bruit qu'elle fait
et regarder le personnage qui tourne.

91

faire asseoir bébé

Les muscles de bébé se développent de haut en bas : d'abord le cou se renforce, puis le haut du dos, le milieu et le bas du dos ; et enfin les hanches et les jambes. Mais avant même que les muscles ne soient capables de soutenir le corps, il a envie de se mettre assis ; c'est pourquoi il soulève la tête sur le plan à langer et qu'il se tire vers le haut en agrippant vos mains. Pour l'aider, appuyez-le sur quelques gros coussins. Ce soutien l'aide à acquérir le sens de l'équilibre et à renforcer ses muscles, sans qu'il risque de se faire mal en tombant. De plus, il aura aussi un nouveau point de vue sur le monde : il regarde la vie de face, et non plus allongé.

92

découvrir les merveilles du marché

Vers l'âge de trois mois, bébé est le compagnon idéal pour une sortie au marché. S'il adore toujours être dans vos bras, il s'intéresse de plus en plus au reste du monde. Laissez-le lorgner les fruits et les légumes colorés, sourire au boucher et toucher les bacs à congélation. Introduisez aussi de nouveaux mots à chaque sortie.

les mots pour le dire

Si bébé s'intéresse à beaucoup de bruits, c'est le son de la voix humaine qui l'intrigue le plus et les mots qu'elle prononce. Expliquez-lui dans le détail ce que vous êtes en train de faire : lui laver les cheveux, préparer le dîner ou ranger vos dossiers. En lui présentant ainsi de nouveaux mots, vous lui faites découvrir le monde.

prendre le temps de l'écouter

L'émotion ressentie aux premiers gazouillis s'estompe vite, mais rappelez-vous que bébé a encore besoin de pratiquer l'art de la conversation. Pour l'aider, assurez-vous qu'il a l'occasion de parler à un auditoire attentif. Donnez-lui le temps de délier sa langue et d'émettre quelques mots, même s'il ne s'agit que de babil.

95

jouer avec l'eau

Pour aider bébé à développer la coordination entre l'œil
et la main ainsi que la motricité fine, donnez-lui des verres
et des tasses en plastique pour jouer dans le bain. S'il ne
parvient pas encore à verser lui-même, faites-le pour lui,
en le laissant apprécier la vue et le son de l'eau qui coule.

96

un peu d'exercice

De nombreux clubs de sport proposent des séances
spéciales pour les jeunes mamans et accueillent aussi
les tout-petits. L'aérobic ou le yoga aide les jeunes mères
à retrouver la forme. Tandis que leurs parents font
de l'exercice, les bébés écoutent la musique,
regardent les mouvements et reçoivent les baisers
et les sourires qu'on leur envoie.

97

apprendre le langage des signes pour bébés

3+

À partir de 3 mois

De nombreux spécialistes du développement de l'enfant pensent que les bébés communiquent par des signes de la main bien avant de pouvoir s'exprimer par le langage parlé. Selon eux, les bébés qui apprennent à communiquer avec leurs mains sont plus sûrs d'eux et moins enclins à se sentir frustrés que les autres. Faites découvrir la communication non verbale à bébé en lui apprenant un signe simple pour « manger » : portez plusieurs fois vos doigts à vos lèvres chaque fois que vous lui demandez s'il a faim. Comme pour le langage parlé, il comprendra sans doute ce signe avant de pouvoir le reproduire. Mais, après quelques semaines, vous verrez qu'il portera lui-même la main à la bouche. Tentez l'expérience avec d'autres signes.

98

“Fais-moi toucher des choses...
J'aime sentir la soie, le satin,
une pièce ronde et lisse,
des plumes, du feutre
et une pomme de pin rugueuse.”

99

lui faire comprendre le haut et le bas

Pour apprendre à bébé les notions de haut
et de bas, dites « en haut » quand vous le soulevez et
« en bas » quand vous le faites descendre. Prenez une voix
aiguë en le soulevant et une voix grave quand vous le faites
descendre, pour qu'il commence à comprendre que
les voix aussi peuvent monter et descendre.

100

le laisser un peu nu

Beaucoup de bébés de trois à six mois adorent être
déshabillés : ils aiment sentir qu'une brise tiède caresse
leur corps, qu'un tapis moelleux s'étend sous
leur ventre, ou que l'herbe leur chatouille les orteils.
Tant qu'il n'a pas froid et n'est pas au soleil, bébé
peut rester nu un moment ; c'est un très bon moyen
pour lui de prendre conscience de son corps.

101

faire des bulles

Observer des bulles de savon étincelantes flotter dans l'air est un des plus grands plaisirs de bébé. Cette activité a aussi un but pratique : en regardant des bulles, les tout-petits renforcent leur capacité à suivre des objets des yeux et à se concentrer. Et en essayant de les toucher, ils travaillent la coordination entre la main et l'œil.

102

siffler un petit air

S'il est encore loin de pouvoir parler, bébé vous écoute avec attention et commence à repérer les consonnes et les voyelles que vous prononcez. Surprenez-le en le regardant dans les yeux puis en produisant un bruit inattendu : sifflez un air entraînant, ou pépiez joyeusement.

103

le mesurer

3+

À partir de 3 mois

Demandez à bébé : « Est-ce que tu es grand ? », puis étirez-lui doucement les bras au-dessus de la tête et dites : « Mais que tu es grand ! » Cela développe sa souplesse et l'aide à découvrir son corps — sans parler des sourires qu'il vous adressera !

104

le faire rouler

Bébé apprend à se retourner en roulant sur lui-même vers l'âge de cinq ou six mois environ. Vous pouvez l'aider à acquérir la force et la coordination que ce mouvement nécessite. Allongez bébé sur le dos sur une couverture. Puis soulevez doucement un pan de la couverture pour qu'il commence à rouler lentement de l'autre côté. Répétez cela plusieurs fois, puis essayez de le faire rouler dans l'autre direction.

105

chanter à voix haute et à voix basse

Faites découvrir le volume sonore à bébé avec cette chanson, ou une autre de votre choix. Chantez-la plusieurs fois de suite, de moins en moins fort, jusqu'à presque chuchoter.

Les petits poissons, dans l'eau,
Nagent, nagent, nagent, nagent,
Les petits poissons, dans l'eau,
Nagent aussi bien que les gros.
Les petits, les gros,
Nagent comme il faut,
Les gros, les petits,
Nagent bien aussi,
Les petits poissons, dans l'eau,
Nagent, nagent, nagent, nagent,
Les petits poissons, dans l'eau,
Nagent aussi bien que les gros.

106

les claquettes

Pour aider bébé à acquérir le sens du rythme, et pour lui
donner une idée de ce que ses merveilleux petits pieds
sont capables de faire, tapotez ses orteils en suivant
le rythme d'une chanson. Bientôt, il se mettra à taper
du pied tout seul quand il entendra un air qu'il aime.

107

transformer sa main en marionnette

Pour faire une marionnette, vous avez tout ce qu'il faut sous la main ; ou plutôt sur la main ! Faites un rond avec votre pouce et votre index. Dessinez des yeux puis faites bouger vos doigts tout en parlant d'une drôle de voix. Fasciné, bébé essayera peut-être de vous répondre !

108

lui présenter des enfants plus grands

Si bébé n'a ni grand frère, ni grande sœur, allez voir des amis qui en ont, ou passez du temps au parc. Bébé adorera voir ce que des enfants plus grands et plus forts sont capables de faire. Veillez à ce qu'il ne soit pas renversé accidentellement au milieu de toute cette activité !

3+

109

parler aux animaux

Bébé découvre le langage, et aussi les différences entre l'homme et l'animal. C'est le moment idéal pour lui présenter le langage des animaux : quand vous lisez un livre, que vous jouez avec des peluches ou que vous voyez des animaux familiers, donnez à chaque animal le bruit qui le caractérise.

110

se régaler

Les bébés mangent dans les bras de personnes qui les aiment, et ils comprennent rapidement qu'un repas est un bon moment pour se regarder, échanger en famille, bavarder. Avant même que bébé ne commence à manger des aliments solides, mettez-le à table avec vous, assis sur vos genoux ou dans une chaise haute, et donnez-lui des bols, des tasses, des couverts incassables.

111

jouer avec la glace

Le froid et la texture glissante des glaçons fascinent les bébés. Assurez-vous que le glaçon soit assez gros pour qu'il ne risque pas de s'étouffer s'il le met à la bouche. Pour faire de gros glaçons, congelez l'eau dans un gobelet en carton ou en plastique, puis arrachez l'emballage.

112

le surprendre

Pourquoi les jeunes enfants aiment-ils jouer à se poursuivre ? Mystère. Mais beaucoup de bébés aiment que vous vous approchiez d'eux subrepticement avant de les surprendre, surtout si vous leur annoncez :
« Je vais t'attraper ! »

113

faire ensemble le ménage

N'attendez pas que bébé dorme pour ranger le linge.
Laissez-le par terre, au milieu des vêtements
de toutes les couleurs, et pliez-les en prenant
votre temps pour les secouer, les lisser
et pour en parler à votre public conquis
par ce spectacle ménager.

114

lui faire sentir
de nouvelles textures

Offrez un livre tactile à ses petits doigts. Cherchez un livre
sur les animaux avec de la fausse fourrure, ou fabriquez-lui
un livre à toucher en collant de grands morceaux de tissu
rêche et soyeux et de fourrure sur des pages en feutrine.

115

prendre de la hauteur

Bébé voit le monde depuis le sol, depuis son lit
ou sa poussette. Mais il y a aussi beaucoup
de choses intéressantes en hauteur. Portez-le
et montrez-lui-en quelques-unes : les tableaux
sur le mur, les fleurs qui s'épanouissent sur une
treille et les bibelots posés sur vos étagères.
Laissez-le caresser le tissu des vestes dans
la penderie, et sentir la fraîcheur d'une vitre.
Donnez-lui l'occasion d'essayer d'attraper
des flocons de neige ou les feuilles qu'il voit sur
la branche d'un arbre. Il appréciera
énormément ces découvertes.

116

"Soutiens-moi...
Place une serviette roulée
sous mes petits bras
pour renforcer mon dos
et mon cou.**"**

117

souffler fort

Bébé adorera cette petite comptine. À la fin,
embrassez-le sur le ventre en soufflant fort :

Le vent souffle
Et s'engouffre
Dans les branches des sapins,
Le vent souffle
Et s'engouffre
Attrapez-le petites mains.

118

faire claquer sa langue

Faites bruyamment claquer votre langue contre le voile
du palais. Cela peut faire sourire bébé, et lui donner
envie d'essayer à son tour de reproduire ce son.

119

éternuer bruyamment

Votre tout-petit n'en revient pas des sons que le corps,
le sien et celui des autres, est capable de produire.
Vous le ferez rire aux éclats en répondant à ses délicats
éternuements de bébé par un gros « ATCHOUM ! » d'adulte.

120

le porter comme un drapeau

Pour aider bébé à renforcer son dos et ses muscles
abdominaux, mettez-vous debout et tenez-le dos contre
vous. Placez une main juste au-dessus de ses genoux
et l'autre sous sa poitrine, et éloignez-le de votre corps
en l'inclinant légèrement — comme un porteur tient
son drapeau lors d'une parade. Certains bébés adorent
être portés dans cette position inclinée.

121

lui faire entendre une autre langue

Il n'est jamais trop tôt pour faire entendre une autre langue à un enfant. Vous pouvez par exemple chanter *Frère Jacques* à bébé le matin, en français et en anglais :

Frère Jacques, Frère Jacques,
Dormez-vous, dormez-vous ?
Sonnez les matines,
Sonnez les matines,
Ding, ding, dong,
Ding, ding, dong.

Are you sleeping, are you sleeping,
Brother John, Brother John ?
Morning bells are ringing,
Morning bells are ringing,
Ding, ding, dong,
Ding, ding, dong.

122

lui chantonner une chanson du soir

Quand vous couchez bébé, éteignez les lumières,
approchez-le d'une fenêtre et montrez-lui le ciel
en lui chantonnant ce grand classique :

Au clair de la lune, mon ami Pierrot,
Prête-moi ta plume, pour écrire un mot
Ma chandelle est morte, je n'ai plus de feu
Ouvre-moi ta porte, pour l'amour de Dieu.

123

jeu de mains, jeu de bébé !

Amusez votre enfant avec un jeu de mains simple, au son d'une célèbre comptine :

3+

À partir de 3 mois

Ainsi font, font, font, les petites marionnettes,
Tournez les mains doigts en haut sur elles-mêmes,

Ainsi font, font, font,

Trois p'tits tours et puis s'en vont
tournez trois fois les mains
l'une autour de l'autre
et cachez-les dans votre dos.

124

faire parler une chaussette

Pour amuser bébé instantanément, mettez
une chaussette sur votre main et ouvrez
et fermez sa « bouche » tout en parlant
d'une drôle de voix. Ce spectacle de
marionnette impromptu distraira bébé à coup
sûr au moment du change, ou lorsque
vous patientez à la caisse d'un magasin.

125

faire du bruit

Tout fier de pouvoir à présent attraper des objets, bébé apprécie beaucoup les jouets qui couinent. Donnez-lui-en un dans chaque main. Arrive-t-il à tenir les deux ? Regarde-t-il le jouet qui fait le plus de bruit ?

126

découvrir le yoga des tout-petits

Dans les cours de yoga pour bébé, votre enfant est allongé sur le dos ou le ventre, ou dans vos bras, pendant que vous aidez son corps à prendre des poses adaptées à son âge, parfois avec des comptines, ou en le berçant. Vous trouverez des conseils sur les premiers mouvements de yoga pour bébés dans des livres sur ce thème, à moins que vous ne préfériez participer à un cours collectif.

127

chanter en famille

Vos amis et les autres membres de la famille ont souvent envie d'aider les jeunes parents, mais ne savent pas toujours comment faire. Ils apprécieront sans doute que vous leur demandiez de vous faire partager leurs chansons et leurs comptines préférées, celles qu'ils chantaient à leurs tout-petits, peut-être même dans d'autres langues. Si votre grand-mère vous apprend quelques-unes des chansons que sa propre mère lui chantait quand elle était petite, cette chanson prendra une importance particulière à vos yeux quand vous la chanterez à votre enfant. Et un jour, vous pourrez lui raconter l'histoire de cette chanson, qu'il chantera peut-être plus tard à ses propres enfants.

128

faire tinter les pieds de bébé

Achetez ou fabriquez des chaussettes ou des bracelets de cheville ornés de clochettes et de grelots. Ceux-ci encourageront bébé à agiter les pieds pour entendre ce bruit agréable. Assurez-vous que tout ce qui est cousu sur les vêtements de bébé ne risque pas de se détacher.

3+

À partir de 3 mois

129

un peu de chahut !

Vers l'âge de trois mois, bébé est capable de détecter l'origine des sons. Pour l'encourager, déplacez-vous dans la pièce en parlant d'une façon étrange, en faisant couiner un jouet, en agitant un hochet. Félicitez-le quand il vous regarde, qu'il se tortille ou même qu'il rampe jusqu'à l'endroit où vous produisez tous ces sons si intéressants.

130

l'encourager à sautiller

Quand bébé utilise vos mains pour se redresser
et qu'il commence à sautiller sur place, encouragez-le.
Beaucoup de bébés peuvent se livrer à cette activité
pendant un bon moment — et tant mieux ! Cela leur
permet de renforcer les muscles de leurs jambes
et d'avoir davantage confiance en eux.

131

un jouet à attraper

Incitez bébé à attraper les objets en plaçant un jouet
sur le côté de l'endroit où il est allongé. Quand
il grandira, mettez le jouet un peu plus loin,
pour qu'il ait envie de rouler sur le côté afin
de s'en saisir.

132

"Ris quand je ris...
Montre-moi que je compte pour toi
et que tu aimes me voir heureux,
et que le rire, comme toutes
les bonnes choses, est encore
plus précieux quand il est partagé.**"**

133

sur une balançoire

Quand bébé peut s'asseoir avec un peu de soutien, il est prêt à aller sur une balançoire, dans un siège baquet. Selon la façon dont il peut s'asseoir, placez-le à l'arrière du siège ou calez-le vers l'avant avec une couverture roulée derrière lui pour qu'il soit bien soutenu. Poussez-le doucement, et pas trop haut au début (son cou n'est peut-être pas encore prêt à supporter des mouvements d'avant en arrière). S'il apprécie de se balancer, pimentez le jeu en lui chatouillant la jambe ou en l'embrassant sur la joue chaque fois qu'il revient vers l'avant. Cette activité aide à développer le système vestibulaire, le mécanisme corporel qui régule l'équilibre et contrôle ses mouvements. Il joue un rôle crucial dans l'apprentissage de la motricité : savoir ramper, marcher, courir, faire de la bicyclette...

134

écraser des chips

Vous êtes coincés à la caisse du supermarché ?
Donnez à bébé un paquet fermé de chips qu'il pourra
froisser et écraser (mais pas manger). Le bruit
et la texture de son nouveau « jouet » le distrairont
au moins un moment.

135

poser des questions

Attirez l'attention de bébé en lui posant des questions.
Attendez qu'il vous réponde, même si sa réponse n'est
qu'une série de gazouillis. Cela lui apprend
le rythme de la conversation. Dans quelques années,
c'est lui qui vous posera des questions !

136

varier les moyens de transport

Les cosys qui peuvent passer de la voiture à la poussette et à la maison sont certes pratiques, mais ils n'offrent guère de stimulation physique à bébé. Tous les enfants ont besoin d'être portés, et ils aiment ça. Le porte-bébé est pour eux un bon moyen de voyager, car le ventre et le dos de leur père ou de leur mère sont à leurs yeux les endroits les plus sûrs et les plus intéressants.

137

chercher à reconnaître des sons

Bien sûr, vous avez hâte d'entendre bébé vous appeler. Quand il babille « ma-ma » ou « pa-pa », répondez-lui par un sourire et dites : « Voilà maman ! » ou : « Voilà papa ! » Il verra qu'il obtient des réponses intéressantes à certains sons.

138

une nouvelle façon d'apprécier les livres

Vous aimeriez que bébé regarde les images de son nouveau livre, mais il le met directement dans la bouche. Ne vous inquiétez pas : les livres en carton ou en tissu sont faits pour résister aux mâchonnements. Et à cet âge, bébé explore la plus grande partie de son environnement en portant les objets à sa bouche. Laissez-le mâchouiller à son gré. Il finira bien par les aborder avec la main, les yeux puis... l'esprit !

139

lui organiser un concert

Bébé est tellement fasciné par le son (et par tout ce que vous faites) qu'il constituera un public conquis d'avance si vous jouez d'un instrument. Son intérêt pour la musique grandira s'il voit comment on la produit, au lieu simplement de l'écouter sur une cassette, un CD ou à la radio. Laissez-le toucher l'instrument. Tirer des cordes de guitare, taper sur un tambour ou appuyer sur les clés d'un cor lui apprend les relations de cause à effet et lui donne l'impression de participer. Et quand chaque membre de la famille joue d'un instrument, les enfants apprennent aussi que la musique est un art collectif.

140

l'amuser en chantant

Jouez à cache-cache avec bébé en lui chantant

cette chanson, sur l'air de *Frère Jacques* :

Où est bébé
Où est bébé

Placez vos mains autour de vos yeux,
comme des jumelles ;

Où est-il
Où est-il

faites semblant de le chercher,

Où est petit bébé
Où est petit bébé

haussez les épaules et tendez les mains, paumes
vers le haut.

Ding, ding, dong
Ding, ding, dong

« Trouvez » bébé et embrassez-le.

141

profiter des instants de calme

Les bébés sont curieux et sociables. Ils adorent communiquer et jouer avec autrui, mais ils ont aussi besoin de rester un peu seuls. N'interrompez pas bébé si vous le voyez triturer les fils du tapis, ou jouer avec ses orteils. Laissez-le découvrir le monde dans le calme.

142

l'entraîner à viser

Aidez bébé à renforcer les muscles de ses jambes, à développer sa coordination entre l'œil et le pied, en le laissant taper dans des objets que vous tenez près de son pied. Utilisez des balles molles, des peluches ou tout ce qui retient son attention et lui donne envie de shooter dedans !

143

répondre à sa toux

Vers l'âge de cinq mois, beaucoup de bébés
font une découverte passionnante :
ils apprennent à tousser exprès pour attirer
l'attention des adultes. Si vous êtes sûr(e)
que votre petit comédien tousse à dessein
et non parce qu'il est malade ou qu'il
s'étouffe, jouez avec lui. Essayez de l'imiter
après qu'il a toussé, ou mettez les mains
sur vos joues avec un air de grande surprise.
Il recommencera fréquemment pour vous voir
réagir aussi drôlement.

144

"Chatouille-moi...
J'adore quand tu me chatouilles
et que tu ris avec moi.
Ce que je préfère ? Deviner l'endroit
où tu vas me chatouiller ensuite...**"**

des bulles, des bulles

Faites rire bébé en faisant une grosse bulle
de chewing-gum pour lui. Puis splatch ! faites-la
disparaître dans votre bouche.

s'imiter mutuellement

Bébé vous a montré qu'il pouvait tirer la langue
et sourire pour reproduire vos mimiques. Peut-être
même qu'il imite certains de vos sons, comme
« ma-ma » ou « pa-pa ». Poursuivez ce jeu d'imitation
en lui montrant comment ouvrir grand la bouche,
ou comment faire « pffff », et voyez s'il vous suit
dans cette voie.

147

le laisser se servir de sa bouche

Permettez à bébé de sucer votre manche, de mâchouiller ses cubes en plastique et de mettre son gros hochet dans la bouche. Oubliez la bave et la peur des microbes et pensez qu'il découvre le monde en partie au moyen de sa bouche. Assurez-vous seulement que rien de pointu, de toxique ou de suffisamment petit pour être avalé ne se trouve à sa portée.

148

hausser le son

Comme bébé commence à babiller, il va aussi se mettre à tester le volume de sa voix. Sans lui faire peur, montrez-lui comment votre propre voix peut devenir plus forte ou plus douce. Il vous imitera peut-être aussitôt.

149

nommer les parties du corps

En répétant fréquemment à bébé le nom
des parties de son anatomie, vous l'aiderez
à apprendre ce que fait son corps et à enrichir
son vocabulaire réceptif. Essayez d'utiliser
ces mots dans la conversation de tous les jours,
plutôt que de les lister de façon ennuyeuse.
Par exemple, au lieu de : « Ça, ce sont tes
pieds, et ça, ce sont tes mains », vous pouvez
dire : « Allez, on met ces petits pieds dans
les chaussettes ! » ou bien : « Qu'est-ce que tu as
dans les mains ? », tout en insistant sur le mot
que vous lui apprenez. Cela l'aide à construire
son vocabulaire et lui fait découvrir
des structures de phrase plus complexes.

150

lui embrasser les orteils

Bébé gloussera de plaisir si vous lui récitez cette comptine :

Dans mon jardin tout rond, il y a :
Un poirier, un pommier, un prunier, un pêcher, un cerisier
Relevez chaque doigt au fur et à mesure...

151

jouer avec un parachute

Les bébés et les jeunes enfants adorent jouer avec
du tissu, un foulard qui vole dans le vent au-dessus
de leur tête ou un grand drap léger avec lequel
ils se créent une tente. Pour faire un parachute adapté
à bébé, placez un drap, un foulard ou un morceau de tissu
léger sur la tête de votre petit aventurier, puis enlevez-le,
parfois rapidement, parfois lentement. Il aimera ce jeu
tactile de cache-cache.

152

fabriquer un mobile vraiment mobile

Même si bébé commence à mieux voir de loin, il préfère souvent regarder les détails de ce qui se trouve à côté de lui. Pour varier sa perspective, attachez solidement des objets légers et colorés au toit ou au pare-soleil de sa poussette pour qu'ils se balancent hors de sa portée. Détachez-les quand il regarde autour de lui, et remettez-les-lui sous les yeux s'il commence à s'agiter.

153

créer un spectacle de lumières

Aidez bébé à renforcer sa capacité à suivre visuellement les objets en dirigeant la lumière d'une lampe de poche sur le mur. Faites monter la lumière jusqu'au plafond, puis jusqu'en bas, et faites-la se rapprocher de bébé. Il essayera peut-être de la toucher de la main !

154

chanter sous la pluie

Chantez cette célèbre chanson à bébé
pendant que la pluie tombe :

Il pleut, il pleut, bergère,

Rentre tes blancs moutons,

Allons sous ma chaumière,

Bergère vite allons.

155

quelques pas de danse

Dansez avec bébé sur une musique entraînante. Arrêtez la
musique et criez : « Stop ! » Cessez de danser et regardez
son visage s'éclairer à ce changement soudain. Quand
la musique repart, recommencez à danser. Répétez cette
alternance de danse et d'arrêts ; il rira chaque fois.

156

l'encourager à ramper

3+

À partir de 3 mois

Votre tout-petit commence peut-être à se tortiller par terre ou à se balancer d'avant en arrière sur les mains et les genoux, avec le désir manifeste de se déplacer. Aidez-le à faire travailler ensemble le devant et l'arrière de son corps en plaçant des objets intéressants, comme ses jouets préférés, juste hors de sa portée. Cela l'encourage à prendre conscience des objets ainsi que de son propre corps et permet de vérifier s'il est prêt à ramper. Bientôt son besoin d'attraper les objets sera plus fort que ses difficultés à y parvenir — et il réussira !

157

un peu de saut

Il peut sembler difficile à un bébé
de développer son sens de l'équilibre alors
qu'il expérimente surtout deux positions :
assise ou allongée. Il faut s'assurer qu'il a
aussi l'occasion de bouger. Tourner,
se balancer, sautiller, développent le système
vestibulaire dans l'oreille interne,
qui est responsable du sens de l'équilibre
et de la conscience de son corps dans
l'espace. Pour stimuler cette partie de l'oreille
chez bébé, posez-le sur un lit (allongé, assis
ou « debout » avec un soutien) et faites-le
sauter très doucement sur le matelas.

158
lui faire du pied

Chatouillez-le doucement en récitant cette comptine :

3+

La fourmi m'a piqué la main (le pied...)
La coquine, la coquine,
La fourmi m'a piqué la main (le pied...)
La coquine, elle avait faim.

À partir de 3 mois

159
chatouiller sa curiosité

Voici une autre comptine à terminer par des chatouilles :

C'est la p'tite Jabotte
Qui n'a ni bas ni bottes
Qui monte, et qui monte, et qui monte...
Guili guili !

160

le préparer à ramper

Placez bébé sur le ventre pour cet exercice qui
le prépare à ramper. Poussez doucement avec votre main
l'un de ses pieds, puis l'autre. Il va repousser votre main,
ce qui va le propulser en avant. Quand il sera habitué
à cet exercice, il ira de plus en plus loin
à chaque poussée et comprendra bien comment
faire pour ramper.

161

explorer un jardin

Les bébés savent reconnaître un bel endroit quand ils
en voient un. Passez du temps avec bébé dans un jardin
ou dans un parc ; il sera enchanté par les branches qui
se balancent dans le vent, par les fleurs multicolores,
les oiseaux qui chantent et les merveilleuses odeurs.

162

"Comme le monde est grand...
Parle-moi de tout ce que je vois,
depuis ton chapeau rouge rigolo
jusqu'à ce grand chat noir. **"**

163

lancer un ballon gonflable

Enchantez bébé avec le mouvement et les couleurs
d'un ballon gonflable que vous lui lancerez
doucement. Mettez bébé sur le dos, puis lancez
le ballon en l'air et attrapez-le au-dessus de lui, encore
et encore. Il adorera le voir voler en l'air, et il aimera
vous voir l'attraper juste avant qu'il ne retombe sur lui.

164

un petit tour sur les genoux

Installez bébé sur vos genoux, face à vous,
et tenez-le bien en lui faisant faire un petit tour
sur vos genoux, avec entrain et douceur !

Petit cheval va au marché,

Au pas, au pas, au pas
Faites sauter l'enfant sur vos genoux très lentement,

Petit cheval va au marché,

Au trot, au trot, au trot
faites sauter l'enfant un peu plus vite,

Petit cheval va au marché,

Au galop, au galop, au galop
faites sauter l'enfant encore un peu plus vite,

Et boum !
faites-le basculer délicatement en arrière,
en tenant bien sa tête.

165

protéger le lapin

Bébé aimera cette comptine animalière,
même s'il n'a jamais vu de cerf :

Dans la forêt un grand cerf
Mettez les bras au-dessus de la tête,
pour faire les bois du cerf.

Regardait par la fenêtre
Arrondissez les mains autour des yeux
pour imiter des jumelles.

Un lapin venir à lui
Agitez les mains au-dessus de la tête,
pour faire les oreilles du lapin,

Et frapper chez lui
faites semblant de frapper,

Cerf, cerf, ouvre-moi
faites semblant d'ouvrir une porte,

Ou le chasseur me tuera
faites semblant de porter un fusil,

Lapin, lapin, entre et viens
faites signe d'entrer,

Me serrer la main
serrez la main de bébé.

166

à dada sur le bidet

Une autre comptine animalière pour faire sauter bébé.
Tenez-le bien sur vos genoux et faites-le sauter
doucement en disant :

À dada sur mon bidet, quand il trotte il fait des pets
PROUT

Déséquilibrez-le légèrement.

167

et pourquoi pas du rock'n roll...

Les tout-petits aiment écouter bien d'autres musiques
que celle qui leur est directement destinée. Faites
découvrir à bébé un éventail de chansons entraînantes
pour savoir ce qu'il préfère. Encouragez-le à taper
du pied et à agiter les bras quand il écoute.

168

l'amuser par des bruits

Un bébé qui babille aime répéter des sons. Mais bébé sera peut-être surpris de vous entendre faire la même chose. Essayez de répéter, avec enthousiasme, un mot amusant (comme « banane ») pour provoquer un éclat de rire chez votre petit linguiste.

169

lui apprendre à s'asseoir

Il faut du temps pour que les bébés apprennent à répartir leur poids sur leurs fesses afin de rester assis. Vous pouvez aider votre tout-petit à se stabiliser en lui mettant les jambes en losange. Rapprochez ses talons de ses fesses, en écartant bien les genoux pliés. Il aura moins de risques de basculer.

170

créer un tapis d'éveil

Vous avez sans doute vu, dans les magasins de jouets, des tapis d'éveil avec des poches cachées, des miroirs incassables et un assortiment de tissus qui encouragent bébé à tendre la main et à crapahuter. Vous pouvez fabriquer votre propre tapis d'éveil en cousant de grands morceaux de tissus différents très colorés et tactiles : du velours, du jean, de la fausse fourrure, du vinyle. Assurez-vous que ces morceaux soient lavables, et lavez-les avant de les assembler. Cousez ce patchwork sur un morceau de tissu lourd et solide qui servira de fond. Ajoutez-y quelques boucles pour attacher des grelots, des livres et des anneaux de dentition. Puis laissez bébé explorer cette aire de jeu facilement transportable.

171

lui faire faire le tour de l'horloge

Bébé aimera se balancer de gauche à droite
comme le pendule d'un coucou suisse,
même s'il ne pourra pas lire l'heure avant encore
plusieurs années !

Tic, tac, tic, tac
Tenez bébé fermement sous les bras
et balancez-le d'un côté à l'autre ;

C'est moi la petite horloge
continuez à le balancer ;

Tic, tac, tic, tac,
continuez à le balancer ;

Maintenant il est une heure
soulevez bébé au-dessus de votre tête une fois ;

Coucou ! Coucou !
balancez-le d'un côté à l'autre.
Continuez à compter deux et trois heures
en soulevant bébé respectivement deux et trois fois
au-dessus de votre tête.

172

chercher Monsieur Pouce

Un jeu de doigts simple pour l'amuser :

– Toc, toc, Monsieur Pouce, es-tu là ?
Pouce caché dans le poing, frappez de l'autre main ;

– Chut, je dors !
– Toc toc, Monsieur Pouce, es-tu là ?
– Voilà, voilà, je sors !
le pouce sort de la main.

6+

À partir de six mois

Bébé est maintenant une créature délicieusement sociale, qui rit et qui vous appelle pour provoquer une réaction ou attirer votre attention. C'est aussi un bébé mobile qui peut se retourner et qui commence à ramper et à se lever pour attraper ce qui lui fait envie. Il testera sa motricité fine en tripotant ses jouets ou sa nourriture.

Et il commence à comprendre que les objets existent même s'ils ne sont pas visibles, ce qui représente une avancée conceptuelle lui permettant de participer activement (au lieu de n'être qu'un spectateur) aux jeux de cache-cache.

173

se promener sous la pluie

Il peut être parfaitement plaisant de laisser bébé sentir
un peu la pluie par une journée de grisaille.
Cela stimule son sens du toucher, de l'odorat
et du goût, et peut vous rapprocher encore alors que
vous explorez tous les deux le monde humide qui s'étend
derrière votre porte. Assurez-vous que ses vêtements
le protègent bien et le gardent au chaud ;
seuls son visage et ses mains doivent sortir !

174

créer un arc-en-ciel

Montrez à bébé comment un prisme peut produire
un arc-en-ciel miroitant. Suspendez le prisme devant
une fenêtre éclairée par le soleil, ou tenez-le à la main, et
faites danser la lumière dans la pièce. Ou placez un verre
d'eau sur le rebord d'une fenêtre ensoleillée jusqu'à ce
qu'il donne naissance à un arc-en-ciel.

175

faire un album de photos de famille

Renforcez le lien que bébé ressent avec sa famille
en remplissant un album de photos de personnes
qu'il aime. Ajoutez des photos d'animaux et de jouets,
et vous aurez un livre qui le distraira pendant des années.

176

marcher pieds nus

Une fois que bébé commence à se mettre debout avec votre aide, vous aurez peut-être envie de lui mettre des chaussures quand il ne dort pas. Mais marcher pieds nus est le meilleur moyen pour un enfant d'apprendre la façon dont fonctionnent ses pieds. De cette façon, il lui est aussi plus facile de trouver comment se balancer d'avant en arrière pour trouver son équilibre, car il pourra sentir les contractions subtiles des muscles qui le font tenir debout.

Enfilez des chaussettes antidérapantes aux pieds de bébé s'ils sont froids, et mettez-lui des chaussures s'il va dans un endroit où il peut y avoir des objets pointus. Mais, s'il est à l'intérieur, ou dehors sur une surface plane et sans risques, il n'y a aucun problème à ce qu'il marche pieds nus.

177

faire tourner le moulin

Bébé sera fasciné par le mouvement de vos mains,
qu'il essaiera peut-être d'imiter :

Tapent, tapent, petites mains,
Tourne, tourne, petit moulin,
Vole, vole, petit oiseau,
Nage, nage, petit poisson.

Mimez chaque action.

Petites mains ont bien tapé,
Petit moulin a bien tourné,
Petit oiseau a bien volé,
Petit poisson a bien nagé.

178

lui présenter des livres d'activités

Maintenant que la motricité fine de bébé se développe,
il adorera ouvrir les rabats, appuyer sur les boutons
et caresser la fausse fourrure que l'on trouve
dans les livres d'activités pour enfants.
Le livre devient alors un support de découverte
par les sens.

179

un peu de lutte à la corde

Donnez à votre tout-petit le bout d'un lange ou d'une
couverture, puis tirez sur l'autre bout. Quand il tire
à son tour, augmentez un peu votre résistance. Ce jeu
l'aide à renforcer la partie supérieure de son corps et lui
donne un sentiment de réussite. Mais ne tirez pas trop
fort, il risquerait de basculer en arrière s'il lâchait !

6+

À partir de 6 mois

180

suivre un jouet des yeux

Si bébé peut à présent suivre des yeux les objets
qui passent et repassent devant lui, il ne sera pas capable
avant l'âge de sept mois de se concentrer sur eux s'ils
bougent de haut en bas. Faites lentement bouger un jouet
de haut en bas sur environ 25 cm. S'il ne peut pas
le suivre, réessayez quelques semaines plus tard.

181

expériences sonores

Si bébé aime taper sur des pots, faites-lui découvrir un
nouveau son en faisant tournoyer un peu d'eau dans un bol
en métal pendant que l'un de vous deux le frappe avec une
cuillère en métal. Les mouvements de l'eau transforment
ce bruit en une mystérieuse ondulation sonore.

182

faire voler un cerf-volant

Peu de jouets sont aussi magiques pour
un enfant qu'un cerf-volant bariolé qui s'élève
dans le ciel. En le surveillant attentivement,
laissez bébé toucher la ficelle et voir comment
elle remonte jusqu'au cerf-volant qui danse.

183

on saute !

Ce jeu donne à bébé un mélange parfait de sécurité,
par la répétition, et juste ce qu'il lui faut de surprise. Tenez-le
contre vous, chantez lentement : « Un... deux... trois... Sautez ! »
et terminez en sautant sur vous-même. Répétez cela, mais
variez le tempo en accélérant le décompte ou en allant plus
lentement afin de ménager le suspense qui mène au saut final.

184

sonner à la porte

Alors que bébé se transforme en explorateur intrépide,
ayez recours à des jeux simples et amusants comme celui
de la sonnette. Prenez-le sous le bras, allez à la porte
d'entrée et révélez-lui la magie de la sonnette. Montrez
à bébé qu'il peut appuyer lui-même sur le bouton.

185

faire des bulles dans l'eau

Avec une paille, faites des bulles dans un verre d'eau.
Le mouvement attirera l'attention de bébé
et les gargouillis l'intrigueront. Mais ne le laissez pas
essayer lui-même, il pourrait se blesser avec la paille
ou inhaler l'eau.

186

lui donner un doudou

Beaucoup d'enfants adoptent ce que l'on appelle un
« objet transitionnel ». Il s'agit en général d'une couverture
ou d'une peluche, qui fournit à l'enfant quelque chose
qui, à la différence des gens, reste en permanence
avec lui. Laissez donc bébé s'accrocher à son doudou
autant qu'il le veut, le sucer, dormir avec lui...
Cela lui donne un sentiment de continuité et le rassure.

187

explorer le miroir

Prenez bébé dans vos bras et allez devant un miroir
en posant la question : « Qui est-ce ? » Il ne comprendra
pas à qui sont les reflets qu'ils voient, mais il adorera
regarder les visages heureux et souriants.

188

on écoute !

Dans cette version auditive de cache-cache, allez
derrière bébé pendant qu'il joue par terre. Dites :
« Où est maman ? » ou « Où est papa ? » et attendez
qu'il se retourne et qu'il vous ait repéré(e).
Quand il se remet à jouer, appelez-le encore en restant
derrière lui, mais à un autre endroit.

189

"Encourage-moi à chanter...
On dirait des gargouillis,
on dirait des cris,
mais c'est de la musique
que j'apprends à faire.**"**

190

marcher avec bébé

Tenez bien bébé, son dos contre vous, sous les bras, posez ses pieds sur les vôtres et marchez lentement, à tout petits pas. Il sera ravi de connaître les joies de la marche.

191

faire des tours de magie

Pas besoin d'être magicien pour faire ce tour qui aidera bébé à améliorer sa motricité fine et la coordination entre l'œil et la main. Enfoncez un petit foulard dans un tube de rouleau d'essuie-tout. Et voilà ! Montrez à bébé comment l'en sortir. Remettez-le en place et laissez-le le sortir tout seul.

192

envoyer des baisers

Il faudra peut-être un an ou deux avant que votre petit chéri ne maîtrise l'art d'envoyer des baisers. Mais quand vous lui envoyez un baiser, il comprend que c'est de l'affection que vous lui adressez ; et il essayera peut-être de vous imiter.

193

jouer avec un bâton de pluie

Quand on les retourne, ces instruments de musique d'Amérique du Sud (longs tubes remplis de graines, de haricots secs ou de cailloux) font un bruit ressemblant à celui de la pluie ; quand on les secoue, ils émettent un son intriguant. Les bâtons de pluie stimulent l'ouïe et donnent à votre petit faiseur de pluie l'occasion d'améliorer sa motricité fine.

6+

À partir de 6 mois

194

tordre des éponges

Donnez à votre petit baigneur un large choix de gants
de toilette et d'éponges naturelles pour jouer dans
la baignoire ou dans une grande cuvette d'eau.
En tordant des éponges pour en faire sortir l'eau,
il stimulera son sens du toucher et renforcera
ses petites mains (surveillez de très près les jeux d'eau).

195

développer son sens du toucher

Préparez un saladier de gélatine colorée puis
constituez des cubes ou des boules sur le plateau
de la chaise haute. Regardez alors votre artiste en herbe
créer des sculptures abstraites en étalant cette matière
miroitante, en la faisant rouler et en l'écrasant !

196

monsieur Bidibulle

Votre enfant ne pourra sûrement pas reproduire tous les sons de cette chanson avant plusieurs mois, mais vous entendre lui chanter l'amusera immédiatement :

Monsieur Bidibulle n'est pas très content / WOUAAN
Faites une grimace accompagnée d'un son de mécontentement.

Son chat a mangé tout son déjeuner / MIAM
Léchez-vous les babines.

Il ne lui reste plus qu'une biscotte / CROQUE
Mimez la scène.

Un peu de fromage et une grosse galette / CHOUETTE
Écarquillez les yeux de satisfaction.

Avec plein de beurre, c'est un vrai bonheur.

6+

À partir de 6 mois

197

inventer une distraction

Plutôt que d'essayer d'empêcher bébé de tout attraper
au supermarché, donnez-lui un sachet de bonbons
ou un paquet de macaronis à examiner, à presser
et à agiter pendant qu'il est dans le chariot.
Le caractère nouveau de ces jouets improvisés
l'occupera joyeusement.

198

rester à l'écoute

Cachez un objet sonore (une petite pendule, une boîte
à musique ou une peluche parlante) là où votre aventurier
rampant peut le trouver. En cherchant la provenance
du son, il testera ses capacités auditives. Il éprouvera
aussi un sentiment de réussite en découvrant l'objet.

199

suivre les feuilles qui tombent

Bébé sera fasciné par les feuilles qui tombent,
et par le bruit qu'elles font quand vous marchez dessus.
Laissez-le essayer d'attraper les feuilles dans leur chute ;
cela favorise la coordination entre l'œil et la main.

200

babiller avec bébé

Bébé a tendance à prononcer ses « mots » en série,
comme « ba-ba-ba » et « ma-ma-ma » ? Développez ses
capacités auditives et son répertoire sonore en lui
faisant découvrir de nouveaux sons, comme « ta-ta-ta »
ou « la-la-la ». Puis attendez qu'il vous réponde. Vous
commencez à lui apprendre l'art de la conversation !

6+

À partir de 6 mois

201

tout casser

Bébé n'est pas encore assez grand pour construire des tours avec des cubes (cela se produit en général vers l'âge de seize mois), mais il aimera se servir de ses mains pour abattre les structures que vous lui édifierez. La vue et le son de cet effondrement séduiront tant votre petit expert en démolition qu'il voudra le refaire de nombreuses fois, alors préparez-vous à un chantier qui dure !

202

ramper ensemble

Les bébés adorent suivre un parent qui rampe dans la maison ou dans le jardin — alors faites plaisir au vôtre ! D'autant qu'en voyant le monde à la hauteur de bébé vous redécouvrirez des points de vue oubliés !

203

jouer à boum par terre

Votre tout-petit commence à bien se servir de
ses mains et comprend mieux ce qu'elles font ;
il est prêt à découvrir le jeu fascinant de « boum
par terre ». Les règles en sont simples : bébé fait
tomber un objet par terre, papa ou maman
le ramasse. Bébé refait tomber l'objet, papa
ou maman le ramasse à nouveau. Ennuyeux,
vous trouvez ? Voyez cela du point de vue
de bébé : il vous montre qu'il possède un pouvoir
sur les objets et qu'il peut influer sur votre
comportement. C'est un pas cognitif énorme
pour un bébé !

6+

À partir de 6 mois

204

"Soulève-moi...
J'adore ça quand tu m'aides à me lever pour que je puisse me tenir debout, encore et encore et encore !**"**

205

construire une tente

Vous vous rappelez ces forteresses que vous aimiez étant enfant ? Les bébés aussi aiment avoir une cachette confortable — surtout si papa, maman, un frère ou une sœur s'y abrite avec eux. Installez quelques couvertures ou draps sur une table ou autours des dossiers de deux grandes chaises, et glissez-vous dessous avec lui.

206

dîner tout nu

Les vêtements de bébé perdent de leur charme quand ils sont recouverts de purée de carottes. Laissez donc bébé manger tout nu de temps en temps. Il trouvera cela très drôle. Et quand il étale de la purée sur sa poitrine, rappelez-vous qu'il prend ainsi davantage conscience de son corps.

207

faire du jogging

Quand vous courez ou que vous marchez, poussez bébé dans une poussette ; l'exercice sera bénéfique pour vous, et il adorera sentir le vent dans ses cheveux. Attendez qu'il ait environ six mois pour que les muscles de son cou soient assez forts pour supporter les secousses. Utilisez une poussette conçue pour le sport, elle amortira mieux les chocs.

208

on secoue !

Pour varier un peu des hochets traditionnels, fabriquez des jouets en remplissant d'objets des bidons en plastique, tous suffisamment grands pour ne pas présenter un risque : couvercles, petites cuillères, cubes en bois. Refermez et écoutez-le secouer son jouet, le faire sonner et rouler.

209

danser le rock'n roll des gallinacés

Faites le tour de la basse-cour avec cette chanson,
que vous pouvez danser avec bébé :

Dans ma basse-cour il y a,
Des poules, des dindons, des oies,
Et puis aussi des canards
Qui barbotent dans la mare
Alors cot, cot, cot codec
Cot, cot, cot codec
Cot, cot, cot codec
Rock and roll des gallinacés, yeah !

210

explorer un tunnel

Vous trouverez dans tous les magasins de jouets des tunnels
pliables. Bébé améliorera son sens des relations spatiales
en parcourant le tunnel et, si vous ajoutez un jouet
à l'intérieur, il découvrira qu'il y a même une récompense
à l'autre bout !

211

tester son sens de l'humour

Vers l'âge de six mois, les bébés commencent à avoir le
sens de l'humour. Beaucoup peuvent même apprécier
des jeux de mots simples : essayez de transformer les
« matines » de *Frère Jacques* en « tartines »
par exemple, ou de chanter *Au clair de la prune*,
et regardez le sourire naître sur le visage de bébé.

212

cacher sans cacher

Si bébé trouve facilement des jouets dissimulés derrière
des boîtes ou des couvertures, lancez-lui un défi en
cachant un objet derrière une barrière transparente,
comme une planche à découper en verre ou un cadre à
photo en plastique. Essaie-t-il d'attraper le jouet à travers
la surface transparente, ou bien la contourne-t-il ?

213

jouer avec des chapeaux

La fascination que bébé éprouve pour sa propre image
et la prise de conscience de son existence en tant
qu'individu lui feront apprécier son image dans
un miroir — surtout si vous lui faites essayer
des chapeaux. Une casquette ou un chapeau
de paille feront parfaitement l'affaire.

214

regarder l'envers des choses

Collez une image simple et colorée sur une grosse
boîte et montrez-la à bébé. Quand il s'y intéressera,
encouragez-le à trouver l'image en tournant la boîte.
Peut-être rampera-t-il autour de la boîte pour
chercher l'image que vous avez fait disparaître.

215

toujours des chatouilles

Cette célèbre chanson permet de nommer les parties du corps, et peut procurer une distraction bienvenue lors du change si vous chatouillez chacune des parties mentionnées :

Alouette, gentille alouette,

Alouette, je te plumerai

Je te plumerai le bec

Chatouillez le nez de bébé.

Je te plumerai le bec

Et le bec, et le bec,

Alouette, alouette,

Alouette, gentille alouette, alouette,

je te plumerai !

Ajoutez à chaque fois une partie du corps.

216

faire un bisou au nounours

Bébé reproduira votre comportement, même si vous vous adressez, par exemple, à un ours en peluche : « Un bisou pour nounours ! » et « Un bisou pour bébé ! »

217

lui apprendre à manger tout seul

Passez-vous plus de temps à tenter d'empêcher bébé de se saisir de sa cuillère qu'à lui donner véritablement à manger ? Alors, il est temps de le laisser faire. Remplissez sa cuillère d'une nourriture solide et pâteuse qui ne glissera pas, comme de la Blédine ; mettez-lui la cuillère dans la main, et guidez-la jusqu'à sa bouche. Il mangera tout seul avec un ustensile adapté dans le courant de sa deuxième année.

218

s'amuser avec un vaporisateur

Les bébés adorent les nouvelles sensations : recevoir des gouttelettes d'eau sur le ventre en est une très agréable. Utilisez un brumisateur ou un vaporisateur propre pour envelopper bébé d'une légère brume d'eau.

219

commencer à compter

Cette célèbre comptine préparera bébé à apprendre les chiffres plus tard :

Un, deux, trois, nous irons au bois
Quatre, cinq, six, cueillir des cerises
Sept, huit, neuf, dans mon panier neuf
Dix, onze, douze, elles seront toutes rouges.

220

en haut, en bas

La prochaine fois que vous pousserez bébé sur
une balançoire, pimentez le jeu en lui disant joyeusement
« Tout en haut ! » quand vous poussez la balançoire
et « Tout en bas ! » quand elle revient vers vous. Il ne
comprendra peut-être pas les mots, mais il remarquera
la répétition des sons et agitera peut-être les pieds
en attendant la prochaine poussée.

221

une armada de bain

Rassemblez divers objets (jouets pour le bain, bouteilles
en plastique vides avec le bouchon bien vissé) et faites
flotter tout cela dans la baignoire. Votre petit marin
adorera les voir osciller et vous entendre nommer
et décrire les objets qu'il arrive à attraper.

222

"Suis-moi...
Et prends en compte
mes préférences. Quand j'ai envie
de jouer au ballon, j'espère
que toi aussi tu auras envie
de jouer au ballon avec moi !"

223

goûter les moments de paix

La vie avec bébé est parfois effrénée, et il peut
être difficile de concilier le travail, le jeu,
le sport et des instants de tranquillité. Essayez
de vous réserver des moments de calme avec
votre enfant, de vous asseoir sur la pelouse
pour écouter les oiseaux par exemple,
de chanter ou de rester juste allongés sur le lit
à regarder tourner le ventilateur de plafond.
Ces moments de tranquillité vous permettent,
à vous et à bébé, de vous relaxer et de vous
rapprocher.

224

regarder de plus en plus haut

Montrez à bébé des papillons, des oiseaux, des avions
et d'autres merveilles ailées pour élever sa perspective.

225

créer un livre

Même très jeunes, les bébés commencent à manifester
leurs centres d'intérêt. L'un adore les canards, l'autre
les arbres, un autre encore les bananes. Faites pour votre
enfant un livre sur son sujet préféré. Percez quelques
morceaux de carton, attachez-les avec de la ficelle
et collez-y des photos découpées dans des journaux
ou des dessins. En grandissant, il verra avec ce genre
de livre qu'un seul et même thème peut être représenté
de bien des façons.

6+

À partir de 6 mois

226

jouer à la cuillère baladeuse

Fouillez dans votre tiroir à couverts et sortez toutes les grosses cuillères et les spatules que bébé pourra agiter et lécher et avec lesquelles il pourra taper. Montrez-lui que faire passer une cuillère d'une main à l'autre n'est pas un mince exploit pour un bébé !

227

un peu de rameur

Pour ramer avec bébé, asseyez-vous avec les jambes pliées et les pieds posés à plat par terre. Placez votre petit rameur le dos contre votre ventre. Avancez doucement d'avant en arrière en lui tenant les mains et « ramez » ensemble. Cette activité stimulera son système vestibulaire et fera travailler vos abdos !

228

lui chanter la chanson de la chaise haute

Chantez-lui ce petit air (sur l'air de *Ah vous dirai-je maman*) quand vous allez donner à manger à bébé, surtout s'il est un peu agité :

Ah vous dirai-je maman
Je vais manger maintenant.
Du pain, des œufs, des lardons,
Des carottes et des poivrons,
Ah vous dirai-je maman,
Je veux manger maintenant !

6+

À partir de 6 mois

229

aller à la rencontre des animaux

Vous n'avez peut-être pas envie d'adopter un poisson rouge, un cochon d'Inde, un chiot ou un iguane, mais bébé adorera voir des animaux en vrai. Une animalerie bien approvisionnée est presque aussi amusante qu'un zoo, parce que les bébés sont aussi captivés par une souris que par un lion d'Afrique.

230

se mouiller

Si le temps est assez chaud, versez un peu d'eau
dans une grande cuvette ou dans une petite piscine
à l'extérieur et laissez bébé barboter à son gré.
Ajoutez de petits jouets en plastique, arrosoirs, seaux
et canards, mais ne le laissez jamais sans surveillance.

231

dans quelle main ?

Devant bébé, sortez une petite peluche de derrière
votre dos. Montrez-la-lui, en utilisant d'abord
la main droite, puis la gauche, puis à nouveau
la droite. Bientôt, son regard vous dira qu'il essaye
de deviner quelle main aura le jouet. Essayez de ne pas
toujours alterner, mais de garder une régularité
dans le changement de main ; arrive-t-il à la repérer ?

232

jouer de la musique entraînante

La musique revêt un tout autre intérêt pour bébé quand il s'agit d'en faire avec d'autres personnes, et non plus seulement de l'écouter. Prenez une flûte à bec ou un tambour ; donnez-lui un tambourin ou un grelot. Même si le triangle est le seul instrument dont vous sachiez jouer, vous aimerez tous les deux la musique que vous ferez ensemble.

233

un tiroir pour lui tout seul

Vers l'âge de six mois, les bébés répètent le même comportement : voir, attraper, lâcher. Remplissez d'objets un tiroir que bébé pourra explorer quand il en aura envie : des jouets, des éponges propres ou tout ce qui vous tombe sous la main et qu'il pourra manipuler sans risque.

234

développer les histoires

Il est important de lire des livres à voix haute à tous les enfants, même à ceux qui savent déjà lire. Mais il ne suffit pas de lire les mots imprimés sur la page. Parlez à votre enfant de ce qu'il y a sur la page, des couleurs, des formes par exemple. Ces éléments l'intéresseront pendant des années.

235

l'embrasser avidement

Les bébés comprennent que les baisers sont un signe d'affection, et ils commencent à les rendre vers l'âge de huit mois. Encouragez le vôtre en lui demandant : « Qui veut un bisou ? qui veut un bisou ? » Puis déposez un baiser sur sa joue en exagérant le bruit.

236

"Fais-moi rencontrer d'autres bébés... Je ne peux pas encore jouer avec eux, mais je suis fasciné par les enfants qui ont la même taille que moi.**"**

237

oublier ses chaussettes

Dès que bébé aura compris comment enlever ses petites chaussettes pour exposer ses orteils, il le fera de manière répétée. Cette activité lui donne un sens de la détermination et aide à développer la coordination. N'hésitez pas à applaudir à ses efforts. S'il ne fait pas froid, il n'y a pas de problème à ce qu'il reste pieds nus.

238

lui dire « merci »

Bébé commence à avoir conscience de la vie en société. Il adorera le jeu simple qui consiste à vous tendre des jouets et vous entendre dire « merci ». Non seulement cela le distraira, mais ce petit rituel lui apprendra la politesse !

6+

À partir de 6 mois

239

remplir le bocal

Quand bébé peut rester assis tout seul, donnez-lui
un bocal en plastique à grande ouverture et quelques
jouets adaptés à son âge. Guidez sa main et montrez-lui
comment mettre les jouets dans le bocal, ce qui lui apprend
à situer les objets dans l'espace. Puis montrez-lui comment
enlever les jouets, ce qui stimulera son ingéniosité
(« Comment vais-je pouvoir sortir ces jouets de là ? »).

240

lui donner une leçon de jonglage

Avec un jouet dans chaque main, que va faire bébé
si vous lui en proposez un troisième ? Va-t-il essayer
de s'en saisir avec les deux mains pleines ? Ou va-t-il
tout laisser tomber ? Avec le temps, il apprendra à poser
un jouet avant d'en attraper un autre.

241

essayer un nouveau genre de cache-cache

Bébé et vous avez sans doute déjà passé bien des moments agréables à jouer au jeu classique de cache-cache, au cours duquel vous vous couvrez le visage des mains avant de le découvrir. Essayez une nouvelle version de ce jeu la prochaine fois que vous changez votre enfant : au lieu de vous cacher le visage, posez une couche propre sur le visage de bébé. Quand il tend les mains pour l'enlever, aidez-le et écriez-vous : « Je t'ai vu ! » Ce jeu l'aide à comprendre que vous existez tous les deux même quand il « se cache ».

6+

À partir de 6 mois

242

lui apprendre à dire « boire » en langue des signes

Les bébés apprennent le langage des signes bien avant le langage parlé. Apprenez donc à bébé quelques signes, comme pour « boire » : fermez votre main comme si vous teniez un verre et portez-la à vos lèvres. Refaites ce geste chaque fois que vous donnez à boire à bébé. Bientôt il le fera de lui-même pour vous signifier qu'il a soif.

243

le téléphone

Chaque fois que vous parlez à quelqu'un que bébé connaît bien, placez le téléphone près de son oreille pour qu'il puisse entendre cette voix familière. Bientôt il sera capable de babiller en réponse.

244

Marielle l'abeille

Très vite, bébé manifestera beaucoup d'intérêt
pour les aventures et les péripéties d'un petit héros
– d'autant plus si c'est un animal et qu'il fait
de drôles de bruits. Essayez l'histoire
de Marielle l'abeille...

Connais-tu Marielle ?
Elle est jaune et noir
Elle aime le soleil, les fleurs et le miel.
Un jour sur sa route, elle croise un gros ours
Qui veut lui voler son beau pot doré.
Hors de ma vue, compère Ours !
Si tu voles mon déjeuner,
Je serai obligée de te piquer le nez !

6+

À partir de 6 mois

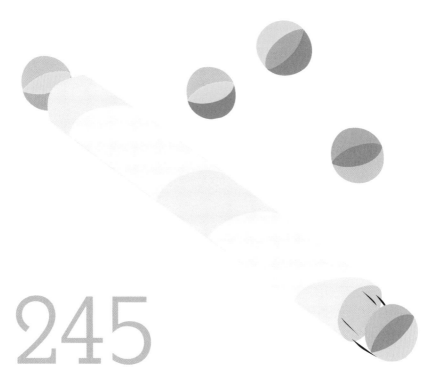

245

faire disparaître les balles

Présentez à bébé un spectacle de magie en faisant
rouler quelques balles dans un tube en carton.
Il regardera avec fascination les balles disparaître
— puis réapparaître soudainement. Celui lui apprendra
aussi la permanence des objets (l'idée qu'un objet
ne cesse pas d'exister juste parce qu'il n'est pas visible)
et les relations dans l'espace.

246

lui donner des pâtes

Mettez une cuillerée de spaghettis cuits, froids et humides sur le plateau de la chaise haute de bébé. Il aimera tenter de séparer et d'écraser ces filaments glissants.

247

sentir les fruits

Vous venez de rentrer, et vous avez besoin de 10 minutes pour ranger les provisions. Posez donc votre tout-petit par terre dans la cuisine et donnez-lui un produit intéressant avec lequel il peut jouer, dans votre champ de vision, pendant que vous terminez votre tâche.
Il aimera faire rouler de manière imprévisible un melon à la peau grainée ou une orange délicieusement parfumée.

248

on plie les genoux !

Même si bébé maîtrise l'art et la manière de se mettre debout en s'agrippant à l'objet le plus proche (un fauteuil ou votre lit), il ne saura peut-être pas se remettre assis par terre. Peut-être trouverez-vous d'abord adorable son air perplexe, mais quand il vous aura appelé(e) au secours un certain nombre de fois, vous trouverez ça nettement moins mignon. Pour lui apprendre comment se baisser sans tomber, exercez une légère pression derrière ses genoux pour les faire se plier. Puis aidez-le à descendre, légèrement penché vers l'avant, jusqu'à ce qu'il se retrouve à genoux. Après quelques jours d'entraînement, il sera à l'aise pour se lever et retourner par terre.

249

enregistrer sa voix

Votre enfant commence à comprendre qu'il est vraiment une personne (concept qu'il n'assimilera pleinement que vers l'âge d'un an, un an et demi). Il adorera entendre sa propre voix. Enregistrez ses babils, ses gazouillis, ses rires, puis passez-les-lui. Cela vous donnera aussi un album sonore des premiers sons de bébé.

250

rire ensemble

Bébé est à l'âge où il aime rire de ses propres plaisanteries. Il peut s'agir de faire tomber un jouet par terre encore et encore, de crier sur les passants ou de faire des grimaces. Soyez amusé(e) de ce qui amuse bébé. Si vous riez de ses plaisanteries, vous lui montrez qu'il a le pouvoir d'amuser.

251

attraper la souris

Ce grand classique amusera encore plus bébé si vous
avez une souris en peluche pour mimer l'action :

Une souris verte

Qui courait dans l'herbe

Je l'attrape par la queue

Je la montre à ces messieurs

Ces messieurs me disent

Trempez-la dans l'huile

Trempez-la dans l'eau

Ça fera un escargot

Tout chaud !

252

du bruit, encore du bruit !

Posez une plaque en métal par terre, devant bébé ou sur le
plateau de sa chaise haute, puis donnez-lui un choix d'objets
rigides : cubes en bois, cuillères en métal, tasse en plastique.
Aidez-le à faire tomber les objets sur la plaque.
Quel est son bruit préféré ?

253

"Laisse-moi jouer avec la lumière...
J'allume, j'éteins...
Regarde ce que je sais faire !"

254

frapper dans les mains

Vers l'âge de six mois, les bébés sont prêts à frapper dans leurs mains. Prenez doucement ses mains dans les vôtres et tapez ensemble dans les mains en chantant une chanson comme *Pomme de reinette et pomme d'Api*. Il finira par comprendre et le refera tout seul.

255

cacher dans la chaussette

Bébé commence à comprendre qu'un objet continue d'exister même lorsqu'il n'est pas visible. Glissez un petit jouet dans une chaussette d'adulte puis montrez-lui comment le faire sortir. En un rien de temps, il commencera à chercher lui-même dans la chaussette le jouet disparu.

256

chanter la chanson des dents

Lavez les premières dents de votre bébé avec un gant de toilette fin et humide, un morceau de gaze ou une brosse à dents pour bébé (le dentifrice n'est pas nécessaire à ce stade). Ouvrez grand la bouche pour l'inciter à vous imiter ; puis effectuez un aller-retour rapide dans sa bouche, sans aller très loin. Pour rendre cela plus amusant, vous pouvez chanter cette chanson sur l'air de *Au clair de la lune* :

Au clair de la lune,
On se lave les dents.
Si on n'en a qu'une,
On se lave la dent.
On frotte et on frotte,
Encore et encore,
Les petites quenottes
Du petit trésor.

6+

À partir de 6 mois

257

chercher bébé

Quand vous enfilez son tee-shirt à votre enfant, au moment où son visage est dissimulé par le vêtement, demandez gaiement : « Il est où, bébé ? » Quand son visage réapparaît, dites : « Il est là ! » Variez ce jeu en le soulevant au-dessus de votre tête tout en faisant semblant de le chercher, puis placez-le face à vous pour de joyeuses retrouvailles.

258

et que ça saute !

Même s'il ne marche pas, même s'il ne s'assoit pas encore tout seul, bébé adorera sautiller de haut en bas dans un siège adapté, suspendu à des cordes élastiques. Attachez le siège au cadre d'une porte très large afin qu'il ait de la place pour bouger, et restez près de lui pour des raisons de sécurité.

259

ouvrir un parapluie

Les bébés s'émerveillent facilement.
Pour le vôtre, par exemple, une longue tige peut
se transformer, comme par magie, en une surface
lisse, colorée et bombée. Ouvrez donc un
parapluie devant lui de façon un peu théâtrale,
et dites : « Sésame, ouvre-toi » avant de le faire
tourner comme Mary Poppins. Succès garanti !

6+

À partir de 6 mois

260

faire la course en rampant

Quand bébé maîtrisera l'art de ramper,
préparez-lui une course d'obstacles sans
difficultés où il pourra exercer l'ingéniosité
et la motricité globale que requiert sa nouvelle
mobilité. Choisissez un tapis épais, ou pliez
une couverture pour protéger ses mains
et ses genoux. Installez des petits coussins
et des piles de couvertures sur lesquelles
il pourra grimper ; soyez prêt(e) à l'aider s'il en a
besoin. Couvrez des chaises avec des draps pour
lui fabriquer un tunnel à traverser, et cachez
des jouets qu'il découvrira tout le long
du parcours.

261

un peu de percussion

Pour offrir une batterie à bébé, attendez qu'il soit
adolescent – ou au moins qu'il sache s'asseoir tout seul !
Entre-temps, laissez-le taper sur des objets, comme
des casseroles ou des bidons en plastique. Il n'est jamais
trop tôt pour prendre conscience du rythme.

262

le couvrir de baisers

Bébé est maintenant assez grand pour apprécier
des bisous un peu originaux. Essayez les bisous
esquimaux (nez à nez) ou les bisous papillons
(battez des cils contre sa joue). Avant longtemps,
il vous retournera toutes sortes de baisers.

6+
À partir de 6 mois

263

on éclabousse !

Remplissez partiellement une baignoire, puis donnez à
bébé des jouets et des balles adaptés à laisser tomber
dedans. Le « plouf ! » qui en résultera le ravira ! Cette
activité lui permet également de s'exercer à attraper
et à lâcher, et lui fait prendre conscience des relations
de cause à effet. (Ne laissez jamais un bébé jouer dans l'eau
ou près de l'eau sans surveillance.)

264

le faire manger avec les doigts

Quand bébé saura manger tout seul, encouragez-le
dans cette voie en préparant des bouchées que vous
dégusterez ensemble. Cela lui permet de se servir
de la fameuse pince pouce-index et de savourer
un repas hors du commun avec vous.

265

décrire le monde

Plus vous parlez, plus bébé écoute, et plus
il enregistre de mots. Faites-lui découvrir les rythmes
des phrases en lui détaillant ce que vous faites.
Ainsi, il commencera à comprendre le monde qui
l'entoure et la manière de donner des explications.
Un jour ou l'autre, vous l'entendrez parler
à son nounours de la même façon que vous
lui parliez à lui.

6+

À partir de 6 mois

266

les fesses en l'air !

Allongez-vous sur le dos, les genoux fléchis et les pieds en
l'air. Posez bébé sur vos tibias, face à vous. Inclinez les genoux
vers votre nez jusqu'à ce qu'il soit à l'horizontale, ou remontez
les pieds légèrement pour qu'il ait les fesses en l'air.

9+
À partir de neuf mois

À cet âge, même un bébé qui ne marche pas
encore commence à ressembler davantage
à un petit garçon ou à une petite fille.
Ce qu'il adore désormais, ce sont les jeux qui
lui permettent d'exercer sa motricité globale
(ramper, se mettre debout, se déplacer par terre
ou grimper) parce que la mobilité est son principal
objectif. La motricité fine est également importante
pour lui ; il insistera peut-être pour tourner
les pages d'un livre ou pour empiler lui-même
ses cubes. Préparez-vous : son apprentissage
de l'autonomie ne fait que commencer…

267

jouer à cache-cache avec des jouets

Faites-lui comprendre la notion de volume des objets
en cachant ostensiblement un jouet sous
une couverture parmi d'autres objets avant d'aider
votre enfant à le trouver. Il apprendra bientôt
à le reconnaître en fonction de sa forme.

9+

À partir de 9 mois

268

sortir le panier à linge

L'un des jouets préférés des bébés. Un panier à linge peut se transformer en fort, en parc ou en lit de poupée. Bébé peut jeter des jouets dedans et le pousser partout, il peut même grimper dedans et vous demander de l'emmener en promenade. Un jour vous pourrez peut-être vous en servir pour y mettre du linge !

269

le faire bondir (et rebondir)

Vous pouvez stimuler le sens de l'équilibre de votre enfant en utilisant un gros ballon sauteur en caoutchouc avec une poignée (dans les magasins de jouets et de sport). Même s'il ne touche pas encore le sol du pied quand il est sur le ballon, laissez-le tenir la poignée. Faites rebondir le ballon d'une main en maintenant bébé avec l'autre.

270

premier vrai cache-cache

Après des mois passés à tester le concept
de la permanence des objets (ils existent même
s'ils ne sont pas visibles), bébé est enfin prêt
pour le grand jour : sa première partie de cache-
cache avec vous. Mais ne vous cachez pas trop
bien, cela pourrait frustrer ou effrayer bébé. Au
lieu de cela, aidez-le en l'appelant :
« Viens me trouver ! Où suis-je ? » Pour les bébés,
ce jeu n'est pas seulement amusant, il les aide
à apaiser leur angoisse de la séparation
puisqu'ils vous voient « revenir »
après vos « disparitions ».

271

maîtriser l'escalier

Même s'il est tentant d'interdire l'accès à l'escalier,
il vaut mieux apprendre à bébé à y aller en toute
sécurité. Pas besoin de beaucoup d'entraînement
pour qu'il monte les marches, mais pour qu'il puisse
descendre sans accident, il faut qu'il se retourne
sur le ventre et pose les pieds sur la marche
qui se trouve en dessous de lui. Une fois qu'il aura
appris à chercher du pied un objet solide derrière lui,
il aura les bases non seulement pour monter l'escalier
mais aussi pour d'autres activités plus tard :
se déplacer dans une aire de jeu quand il ira
à la maternelle, ou faire de l'escalade quand il sera
adolescent. Assurez-vous toujours que la barrière de
sécurité qui barre l'accès de l'escalier est bien fermée
quand bébé ne s'entraîne pas sous votre surveillance.

272

lui donner des jouets à pousser

Avant de pouvoir alterner ses mouvements de jambes
pour pédaler, votre enfant peut avancer en poussant
sur les deux jambes à la fois. La poussée lui permet
de renforcer ses muscles et lui donne la joie de pouvoir
se déplacer tout seul. Restez près de lui ; bébé aura
peut-être besoin d'une main secourable pour l'aider
à garder son équilibre et à ne pas tomber.

273

peindre le trottoir

Les jeux d'eau font partie des activités préférées
des petits de tous âges. Un après-midi d'été, donnez
à bébé quelques pinceaux bon marché et un seau
d'eau, et laissez-le « peindre » le trottoir.

274

lui proposer le moule à cannelés

Une fois que bébé aura maîtrisé l'art de ramasser et
de lâcher des objets, il aimera laisser tomber des jouets
et des boulettes de papier dans les trous des moules
à cannelés — ce qui l'aide à développer sa motricité fine.

275

remplir une boîte

Découpez un grand trou dans le couvercle ou dans
le côté d'une boîte à chaussures, puis montrez à bébé
comment faire entrer des jouets dans la boîte en passant
par le trou. Cela lui permettra d'apprendre la notion
de dimension. En prenant des jouets
et en les poussant à travers le trou, il développe
aussi sa motricité fine.

276

sentir des odeurs intrigantes

Récupérez quelques petits récipients en plastique,
et mettez des ingrédients très parfumés à l'intérieur
(un par récipient). Par exemple, imbibez un morceau
de coton d'extrait de vanille ou écrasez un bâton
de cannelle. Fermez la boîte et scotchez le couvercle,
puis faites de petits trous dedans. Laissez bébé sentir
les odeurs qui s'en dégagent.

277

transformer bébé en brouette

Cette activité renforce la partie supérieure du corps
de votre enfant et développe sa coordination : prenez-
le par les hanches ou sous le torse pour qu'il puisse
« marcher » sur les mains. Quand il sera plus âgé
et plus fort, vous lui tiendrez les pieds.

278

aller au zoo

Si bébé s'extasie quand il voit des animaux au loin
et dans les livres, et qu'il apprécie les visites à l'animalerie,
allez dans un zoo pour enfants où il pourra découvrir
les créatures étonnantes qui habitent notre planète.
Surveillez attentivement les rencontres
de votre tout-petit et lavez-lui les mains ensuite.

279

lui faire faire l'ascenseur

Faites découvrir à votre enfant la joie d'être un « monte-en-l'air ». Asseyez-vous sur un tapis, bébé face à vous. Soulevez-le et, tout en le tenant bien, roulez en arrière pour qu'il « vole » au-dessus de votre tête. Cela renforce son dos et stimule le système vestibulaire, qui l'aide à trouver son équilibre. Cela suscitera sans doute aussi pas mal de fous rires de la part de votre copilote !

280

descendre le toboggan

Au début, bébé ne voudra peut-être glisser le long du petit toboggan qu'avec votre aide ; vous resterez à côté pour le guider et vous le rattraperez au bout. Plus tard, quand il se sentira plus assuré, il se lancera tout seul.

9+

À partir de 9 mois

281

trier les formes

Avec un jouet adapté, montrez d'abord à votre enfant comment faire entrer la pièce ronde dans le trou rond, puis montrez-lui comment faire entrer les pièces carrées et triangulaires dans les trous correspondants. Bientôt, il fera l'association tout seul. Cette activité l'entraîne à différencier les objets et développe aussi la motricité fine.

282

encourager les marcheurs précoces

Le défi principal que pose la marche est de trouver son équilibre. Pour aider votre tout-petit à se lever (et à rester debout !), donnez-lui des objets stables et résistants, mais suffisamment légers pour qu'il puisse les pousser, comme un panier à linge rempli de vêtements. Mais évitez les tricycles et les trolleys, ils avancent trop vite.

283

"Regarde des films
de notre famille avec moi...
J'aime voir tous ces gens fascinants
(surtout maman et papa, et ce bébé
si mignon) qui font
des choses amusantes."

9+

À partir de 9 mois

284

chaud et froid

Initiez votre enfant aux variations de la température en lui présentant deux bols d'eau : l'un rempli d'eau chaude, l'autre rempli d'eau froide. Observez son visage lorsqu'il trempe sa main, chacune des sensations va créer une réaction spécifique.

285

construire une maison en carton

L'amour des espaces à sa taille, des jeux de cache-cache et des jeux d'imitation conduira votre enfant à aimer avoir sa propre maison. Prenez un gros carton, découpez des fenêtres et une porte, et décorez l'extérieur avec de la peinture et des autocollants. Installez des couvertures et des jouets à l'intérieur pour créer un petit nid douillet.

286

dessiner ensemble

Il faudra des années avant que votre enfant soit
capable de dessiner quelque chose qui ressemble à...
quelque chose. Mais il aimera gribouiller avec un crayon
de couleur, un feutre ou une craie. S'il ne peut pas
le faire tout seul, guidez sa main sur le papier.

287

des ballons à gogo

Quand bébé tire sur la ficelle de ballons gonflés
à l'hélium, il est très intrigué. Choisissez des ballons
en Mylar ; contrairement à ceux en latex, ils n'explosent
pas et sont donc moins susceptibles d'être ingérés.
Surveillez toujours bébé quand il joue avec
des ballons et assurez-vous que les ficelles soient
courtes pour qu'il ne risque pas de s'entortiller avec.

288

l'encourager

Quand on complimente un enfant (« Qu'est-ce que tu es gentil », « Comme tu es intelligente »...), on se concentre en général sur l'enfant lui-même. Mais quand on l'encourage, on met l'accent sur ses efforts : « C'était vraiment difficile de grimper en haut de cette colline » ou « Mais qu'est-ce que tu cours vite ! » La plupart des experts s'accordent à dire qu'il est préférable d'encourager un enfant plutôt que de le louer, parce que la louange incite l'enfant à toujours vouloir être « intelligent », « gentil » ou « fort », tandis que l'encouragement insiste sur ses actions et non sur sa valeur en tant que personne. Commencez maintenant à donner à bébé le sentiment de sa compétence, alors qu'il commence à prendre conscience de lui-même en tant qu'individu, qui a besoin d'être reconnu comme à la fois digne d'être aimé et capable d'accomplir des choses lui-même.

289

trouver des outils à sa taille

Les bébés plus grands et les petits enfants adorent imiter la vie des adultes. Vous pouvez trouver votre tout-petit en train d'essayer de se brosser les cheveux, de ramasser des miettes ou de taper avec un marteau. Faites-lui plaisir sans danger en lui donnant des versions pour enfants des outils que vous utilisez dans la maison. Quand il joue à faire la cuisine ou qu'il s'affaire sur un établi pour enfant, il commence à développer un sens de l'imitation qui évoluera plus tard jusqu'aux jeux d'imagination.

290

enfiler les anneaux

Votre enfant ne sera pas capable d'enfiler des anneaux sur un mât en plastique dans l'ordre, du plus grand au plus petit, avant d'avoir environ deux ans. Encouragez-le à faire preuve d'ingéniosité et à développer sa coordination entre l'œil et la main en empilant les anneaux dans n'importe quel ordre... et en admirant ce qu'il fait de mieux : tout démonter !

291

lui courir après

Qu'il se dandine sur ses deux pieds ou qu'il batifole à quatre pattes, bébé adorera que vous lui couriez après. Ne soyez pas trop brutal(e), il ne faut pas l'effrayer ! Motivez-le avec des mots d'encouragement, des bruits amusants et beaucoup de rire. Puis inversez les rôles.

292

faire éclater les bulles

Bébé aime depuis toujours vous regarder faire des bulles de savon, et, vers l'âge de neuf mois, il est prêt à tendre la main pour les faire éclater. Encouragez-le donc ! Cela développera la coordination entre la main et l'œil et il sera fier de ses exploits savonneux.

293

lui téléphoner

Fasciné par la sonnerie et par tous ces boutons, bébé essaye peut-être déjà d'attraper votre téléphone. Mettez fin à vos batailles en lui en donnant un à lui. Qu'il s'agisse d'un jouet ou d'un vieux téléphone sans fil, il aura l'impression de faire comme papa et maman en s'en servant. En même temps, cela le fera parler et développera son sens de la communication.

294

parler dans un tube

Si votre enfant est intrigué par les sons (surtout ceux
qu'il fait tout seul), alors il trouvera sans doute très amusant
de parler (ou plutôt de babiller) dans un tube.
Prenez le tube en carton d'un rouleau d'essuie-tout
et montrez-lui comment parler, souffler, fredonner
et chanter dedans. Puis laissez-le essayer.

295

lui donner un sac à dos

Quand il verra un frère ou une sœur plus âgé(e), ou bien
un adulte, utiliser un sac à dos, votre tout-petit voudra sans
doute en avoir un aussi. Bien sûr, il ne pourra pas porter
de charge avant de savoir bien marcher, mais il aimera
vous aider à remplir son sac à lui avec des jouets,
des en-cas ou des livres — avant de tout vider !

296

"Montre-moi comment
lâcher des balles...
Cela m'apprend à viser
et à lâcher un objet,
et ça fait aussi un bruit super,
surtout quand elles atterrissent
dans une grande cuvette d'eau !"

297

chacun son tour

Votre enfant sautera sur l'occasion de s'entraîner
à marcher en tirant ou en poussant un solide petit camion.
Faites-lui d'abord faire un tour sur le camion, puis laissez-le
emmener ses poupées ou ses peluches en promenade.

298

tester son sens de l'équilibre

Les petits aiment éprouver leur sens de l'équilibre
en essayant de ramper ou de marcher le long des poutres
que l'on trouve sur les aires de jeu. Ils peuvent aussi
s'entraîner chez eux : posez une planche large et solide
contre une table ou une chaise suffisamment lourde.
Couvrez le sol de tapis ou de coussins. Puis restez
à côté ou tenez-lui la main pour l'encourager
à monter et à descendre.

299

faire sortir le diable de sa boîte

Avec le bruit qu'il fait et sa marionnette à ressort, ce vieux jouet continue à ravir les enfants. Aidez bébé à tourner la poignée et remettez la marionnette dans sa boîte après qu'elle en est sortie — mais pas besoin d'apprendre à rire à bébé quand elle ressort, encore et encore !

300

l'emballer

Déroulez environ 120 cm de papier d'emballage par terre et posez bébé au milieu. Il aimera se rouler dedans, le déchirer, le froisser et s'en envelopper. Assurez-vous simplement qu'il n'arrache pas de morceaux et qu'il ne les porte pas à la bouche pour éviter tout risque d'étouffement.

301

au bain, les jouets !

Remplissez une cuvette d'eau chaude avec un peu
de mousse pour permettre à bébé de donner le bain
à ses « bébés » à lui, poupées, canards ou dinosaures
en plastique. Surveillez-le bien, et ayez une serviette
à portée de main pour les débordements.

302

plonger dans l'aventure

Et dire qu'il trouvait sa baignoire amusante ! Bien à
l'abri dans vos bras, votre petit nageur peut commencer
à goûter aux plaisirs de la piscine. Bougez ensemble
dans l'eau et laissez-le ressentir cette impression
de légèreté, et découvrir la joie d'éclabousser.
(Ne jamais laisser un enfant sans surveillance
dans une piscine ou à côté.)

9+

À partir de 9 mois

303

dégonfler les joues

Au hit-parade des plaisirs enfantins, appuyer sur les joues gonflées de son papa ou de sa maman avec les deux mains et les voir se dégonfler obtient un très bon classement. Surtout si vous prenez un air stupéfait chaque fois que bébé le fait...

304

verser, reverser, renverser

Bébé vous voit souvent verser du liquide : vous vous préparez une tasse de café, vous versez du lait dans son biberon ou de l'eau dans la gamelle du chat. Laissez-le essayer : quand il est dans la baignoire, il peut s'entraîner à verser avec des récipients en plastique. Il prendra conscience des tailles et des volumes tout en améliorant sa motricité fine.

305

explorer le monde à pied

Si bébé marche, donnez-lui souvent l'occasion
de déambuler sur le trottoir, de folâtrer sur un chemin
de campagne ou de crapahuter dans l'herbe
haute d'une pelouse. Il aiguise ses capacités
d'observation en ramassant des cailloux, des bâtons,
et en écoutant le bruit de ses chaussures sur le sol.

306

faire des bisous de marionnette

Prenez une marionnette pour « embrasser » différentes parties du corps de bébé. Il adorera que vous lui annonciez le prochain endroit où la marionnette va l'embrasser.

307

on chante, on danse, on mange

Pimentez l'heure du repas en chantant la danse des légumes :

Tous les légumes, au clair de lune
Étaient en train de s'amuser, hé
Ils s'amusaient, hè
Tant qu'ils pouvaient, hè
Et les passants les regardaient.
Les artichauts sautaient à petits sauts
Les salsifis valsaient sans bruit
Et les choux-fleurs se dandinaient
avec ardeur.

308

dire au revoir de la main

Dire au revoir est l'un des premiers rituels sociaux qu'apprennent les bébés parce que c'est un geste qu'ils peuvent facilement reconnaître et imiter. En apprenant à votre enfant les mots (au revoir) et les gestes qui vont avec (agiter la main quand quelqu'un s'en va), vous mettez en place un rituel apaisant qui peut l'aider si l'angoisse de la séparation rend les départs difficiles.

309

jouer au ballon

Les ballons font partie des jouets préférés des enfants. Donnez à bébé un assortiment de ballons de différentes tailles et voyez comme il joue avec eux. Montrez-lui ce qu'il peut faire avec.

9+

À partir de 9 mois

310

chanter « Où est le pouce ? »

Sur la mélodie de *Frère Jacques*, avec un zeste de cache-cache, ce jeu de doigts amusera bébé jusqu'à la maternelle. Commencez avec les deux poings derrière votre dos :

Où est le pouce, où est le pouce ?
Je suis là
Sortez la main droite, pouce en l'air,

Je suis là
sortez la main gauche, pouce en l'air,

Comment allez-vou-ous,
faites « parler » le pouce droit en le pliant,

Bien, merci beaucou-oup
faites « répondre » le pouce gauche en le pliant,

Au revoir
remettez la main droite derrière votre dos,

Au revoir
remettez la main gauche derrière votre dos.

Continuez avec l'« index », le « majeur », l'« annulaire », le « petit ».

311
et on déchire !

Avant de jeter vos magazines, donnez-en un ou deux
à bébé pour qu'il découvre une nouvelle activité :
l'arrachage de pages ! Les bébés adorent le bruit produit
et cela les aide à développer à la fois la motricité globale
et la motricité fine. Surveillez-le de près pour
qu'il ne mette pas de papier dans la bouche.

312
élargir son cercle de connaissances

Organisez des rencontres avec d'autres parents et leurs
bébés. Même si bébé ne jouera pas avec d'autres enfants
avant la fin de sa deuxième année, il prendra plaisir
à les regarder et à les imiter. Et vous apprendrez aussi
en observant d'autres bébés — et d'autres parents !

9+

À partir de 9 mois

313

inverser les rôles

Vers l'âge de neuf mois, les bébés commencent à imiter les adultes ou les enfants plus âgés de leur entourage, et ils aiment s'occuper d'eux. Encouragez donc votre bébé à vous nourrir à la cuillère, à vous laver le visage et à vous brosser les cheveux. Cela lui permettra de donner des soins et non plus simplement d'en recevoir.

314

lui masser les pieds

Offrez à bébé un massage relaxant de pieds avant qu'il ne se couche. Massez doucement la plante de chaque pied, puis faites des mouvements circulaires sur ses talons avec les pouces. Pour un massage plus apaisant, utilisez une lotion relaxante.

315

" **Montre-moi des bébêtes qui rampent...** J'aime regarder des vers qui gigotent, des bestioles qui grimpent et des fourmis qui courent partout. "

316

jouer à la plage

Avec une bonne protection solaire et une surveillance attentive, la plage est une destination idéale pour bébé et vous. Il peut creuser dans le sable, jouer à éclabousser dans l'eau, regarder les oiseaux et aller se baigner, dans les bras d'un adulte, évidemment.

317

lui montrer
les parties du corps

Partagez cette chanson avec bébé
en lui montrant les mouvements en chantant.
Puis répétez la chanson et aidez-le
à se concentrer sur les parties de son propre
corps en faisant bouger l'endroit évoqué.

Un petit pouce qui bouge (ter)
Et ça suffit pour m'amuser.
Une petite main qui bouge (ter)
Et ça suffit pour m'amuser.
Un petit bras... etc.

9+

À partir de 9 mois

318

faire un puzzle

Incitez bébé à travailler son sens des relations dans l'espace et sa motricité fine avec des puzzles en bois. Commencez par un puzzle simple avec une seule pièce ; une fois qu'il le maîtrise, poursuivez avec un puzzle à deux puis quatre pièces. Recherchez des pièces faciles à encastrer et à sortir, des couleurs vives et des images ou des dessins assortis sur la planche. Montrez-lui comment encastrer les pièces.

319

cacher le jouet

Attachez un long ruban à l'un de ses petits jouets préférés, puis, sous ses yeux, cachez le jouet sous le canapé. Aidez-le à tirer le ruban pour le faire réapparaître. Peut-il récupérer le jouet tout seul ?

320

lui parler de ce qu'il a fait

Parler de ce qui s'est produit dans le passé aide bébé à construire sa mémoire. Mais ne vous contentez pas de banalités, ou de questions auxquelles on répond par oui ou par non, comme : « Tu as aimé ton goûter aujourd'hui ? » Évoquez plutôt le côté actif et relationnel. Par exemple, parlez tous les jours de ce que vous avez fait ensemble, des endroits où vous êtes allés et des personnes que vous avez vues : « Quand on a joué au parc avec ton ami Paul, un gros chien noir t'a léché les orteils ! » Avec le temps, à mesure que vous lui répéterez les histoires les plus marquantes, votre enfant commencera à construire ce que les psychologues appellent une « mémoire autobiographique ».

321

empiler les récipients

Montrez à bébé comment placer en équilibre
des récipients en plastique de tailles différentes,
et comment glisser les petits dans les grands.
Mais n'oubliez pas qu'il les fera dégringoler
avant de savoir les empiler...

322

faire un tour en couverture

Faites asseoir votre enfant sur une couverture, ou bien
allongez-le, puis tirez doucement la couverture.
Essayez plusieurs directions. Si vous prenez à bord
un enfant plus âgé, il pourra s'assurer que bébé
ne tombe pas, et le plaisir n'en sera que redoublé !

323

jouer au bonneteau

Vous pouvez jouer avec bébé à une version plus lente
et plus simple du bonneteau. Montrez à votre enfant
que vous cachez un petit jouet ou une balle sous un verre
en plastique opaque. Puis retournez un autre verre.
Déplacez lentement les verres, et demandez-lui de trouver
le jouet. Il ne le trouvera peut-être pas tout de suite
mais, si vous déplacez les verres très lentement, bébé
finira par être capable de deviner. Cette activité l'aide
à renforcer sa capacité à suivre un objet des yeux
et à développer sa concentration.

9+

À partir de 9 mois

324

lire, relire, rerelire

Les bébés aiment la répétition. Essayez de garder un peu
d'entrain, même si vous avez déjà lu l'histoire
du bonhomme de neige une centaine de fois.
La répétition aide bébé à associer les mots aux images,
ce qui représente un pas essentiel pour
le développement du langage. Et il se sent plus
en sécurité quand il sait ce que réserve la page suivante.

325

voir la vie en jaune

Essayez de voir le monde en jaune pendant une journée :
désignez tous les objets jaunes que vous voyez. Vous pouvez
poursuivre avec des journées vertes, orange ou violettes...

326

entasser les cailloux

Les bébés apprécient particulièrement un tas de cailloux propres. C'est amusant de les entasser, de les faire dégringoler et de les taper l'un contre l'autre. Choisissez des cailloux légers et de taille moyenne qu'il ne risquera pas d'avaler.

327

lui apprendre le rythme

Les bébés sont capables de percevoir les rythmes et deviner ce qui va suivre dans une séquence rythmique, même s'ils ne peuvent pas toujours reproduire cette séquence. Tapez deux fois dans les mains puis recommencez. La reconnaissance de séquences est essentielle pour apprendre à parler, à lire et à apprécier la musique.

9+

À partir de 9 mois

328

"**Fais rouler la balle jusqu'à moi...**
Je peux l'arrêter avec les mains,
cela m'aide à être plus
coordonné... et cela me prépare
à jouer un jour avec un copain."

329

faire coucou avec le coucou

Des bruits d'animaux et une jolie mélodie
font de cette célèbre chanson
une des préférées des bébés :

Dans la forêt lointaine,
on entend le coucou,
Du haut de son grand chêne,
il répond au hibou,
Coucou, hibou, coucou, hibou,
Coucou, coucou, coucou.

330

baby cross

Une course d'obstacles peut aider votre tout-petit
à améliorer son sens de l'équilibre et la coordination entre
l'œil et le pied. Disposez de petits cubes ou un manche
à balai pour qu'il puisse les enjamber, des cerceaux pour
qu'il puisse les traverser. Aidez-le s'il en a besoin : il s'agit
de l'aider à mieux marcher, non de le tester.

331

chevaucher un cheval à bascule

Votre petit cow-boy adorera se balancer tout seul
sur un cheval de bois traditionnel. Placez sa monture
sur un tapis épais ou sur l'herbe et restez toujours
à côté de lui, en cas de ruades intempestives...

332

revoir l'ameublement

La phase où les bébés s'accrochent aux meubles
ou à des jambes humaines pour s'aider quand
ils se déplacent d'un endroit à un autre
est cruciale dans l'apprentissage de la marche,
car elle leur donne l'occasion de s'entraîner
à faire des pas. Aidez votre enfant en assemblant
une chaîne de meubles solides qui va d'un bout
de la pièce à l'autre. Éloignez de ses mains avides
les objets fragiles, lampes, pieds de table branlants
ou plantes en pots. La pièce aura peut-être
un drôle d'aspect, mais la plupart des bébés
dépassent cette phase relativement vite. Et la joie
qu'il ressentira en étant capable de se déplacer
sur ses deux pieds compensera largement
le dérangement.

9+

À partir de 9 mois

333

visiter un musée

Même s'il ne peut pas encore apprécier la naissance
de la perspective à la Renaissance, ou les choses
étranges que les cubistes ont fait subir au corps
humain, votre petit curieux s'émerveillera devant
les couleurs et les formes exposées dans un musée.
Et les couloirs qui relient les salles sont un endroit
idéal pour s'entraîner à marcher ! Essayez d'éviter
les heures de pointe, et coupez la visite d'un tour
au café ou dehors pour qu'il ne s'ennuie pas
ou ne soit pas trop stimulé.

334

profiter
d'un peu de lecture tranquille

Pour développer l'amour des livres chez votre tout-petit,
il est essentiel de lui faire la lecture. Et s'il veut
regarder les livres tout seul, laissez-le faire. Cela
montre que sa capacité de concentration augmente.

335

découvrir la joie des aimants

Vous avez besoin d'occuper bébé pendant que vous
faites la cuisine ? Posez de gros aimants colorés
sur la partie inférieure de votre réfrigérateur ou
sur un tableau magnétique. Il pourra les enlever
et les remettre. (Évitez les petits aimants qui peuvent
présenter un risque d'étouffement.)

336

chanter la chanson des couleurs

Apprenez les couleurs à bébé en lui chantant cette chanson
tout en lui dessinant les poules :

C'est la poule grise
Qui pond dans l'église,
C'est la poule noire,
Qui pond dans l'armoire,

C'est la poule brune,
Qui pond sur la lune
C'est la poule blanche
Qui pond sur la planche.

337

enregistrer un livre

Quand vous laissez votre enfant à un(e) baby-sitter,
apaisez son angoisse de séparation en vous enregistrant
en train de lire l'un de ses livres préférés. Il adorera
entendre votre voix alors que vous n'êtes pas là.
Pour l'heure de la sieste, enregistrez plusieurs livres
à la suite pour qu'il puisse les écouter en s'endormant.

338

emballer de vieux amis

Bébé aimera peut-être revoir de vieux amis. Si vous emballez quelques vieux jouets dans du papier-cadeau, il pourra s'amuser en froissant le papier et en le déchirant — mais attention qu'il ne le mange pas !

339

monter à l'échelle

Ramper et grimper sont des mouvements semblables, mais l'un à horizontale et l'autre à la verticale. Montrez à bébé comment monter les barreaux d'une échelle, comme celle d'un toboggan, avec les mains et les pieds. Restez derrière lui et guidez-le en permanence. Bientôt il grimpera tout seul en haut de l'échelle.

9+

À partir de 9 mois

340

à cheval
sur vos genoux

Asseyez bébé sur vos genoux,
face à vous, tenez-le bien,
et en route pour un petit tour à cheval !

Le cheval de mon parrain
Va toujours son petit train.
Au pas, au pas, au pas,
Au trot, au trot, au trot,
Au galop, au galop, au galop !

341

inviter les jouets à prendre le thé

Quand bébé aura appris à quoi sert une tasse, montrez-lui comment donner à son nounours ou à sa poupée une gorgée de son eau ou de son (faux) thé. Il rira peut-être, et il pourra même reproduire ce moment passé à faire semblant, annonçant ainsi tous les jeux d'imagination à venir.

342

arroser ensemble les plantes

Bébé adore vous imiter et l'eau le fascine. Quel meilleur moyen de l'amuser que de le laisser arroser les plantes du jardin ? Aidez-le à tenir l'arrosoir ou (ce qui sera encore plus amusant) utilisez un tuyau d'arrosage. Bien sûr, l'eau ira surtout sur ses pieds (et sur les vôtres), pas sur les plantes, mais il aimera avoir l'impression d'être une grande personne — et être un peu mouillé !

9+

À partir de 9 mois

343

chanter les kilomètres à pied

Félicitez votre apprenti marcheur avec cette célèbre
chanson sur l'une des étapes les plus importantes
de ses apprentissages :

Un kilomètre à pied, ça use, ça use,
Un kilomètre à pied, ça use les souliers.
Deux kilomètres à pied...

344

ressortir les vieux hochets

Bébé est peut-être devenu trop grand pour certains
de ses jouets mais les hochets l'amuseront sûrement
d'une nouvelle façon. Cachez-les dans une boîte
à chaussures, assemblez-les en une ribambelle de hochets
ou empilez-les.

345

"**Danse avec moi...**
Je me balance, je me tortille
ou je bouge juste la tête,
mais quelle que soit ma façon
de danser, j'apprends à suivre
le rythme et à m'exprimer."

9+

À partir de 9 mois

346

les jours de la semaine

Il n'est jamais trop tôt pour donner
à entendre des mots nouveaux.
Pourquoi pas une petite comptine
qui reprend les jours de la semaine
— des mots que les parents
prononcent souvent ?

Bonjour Lundi
Comment va Mardi ?
Très bien Mercredi
Va dire à jeudi
De la part de Vendredi
Qu'il s'apprête Samedi
Pour la messe de Dimanche.

347

lui apprendre « Jacques a dit »

Bébé est trop jeune pour jouer à ce jeu selon les règles en vigueur dans les cours de récréation. Mais une version simplifiée lui apprendra à écouter des instructions orales et à y obéir. Utilisez d'abord des ordres simples, comme « Jacques a dit : touche tes orteils », ou « Jacques a dit : ouvre la bouche ». Montrez toujours à bébé ce que vous attendez de lui pour qu'il puisse essayer de vous imiter.

348

attraper tout ce qui traîne

Bébé cherche à attraper les objets de tous les jours, comme des verres, des cintres et des boîtes. Ces objets simples de la maison sont aussi efficaces que des jouets pédagogiques high-tech pour lui permettre de pratiquer sa motricité et pour se lancer dans des jeux d'imitation.

349

construire un château de sable

Il aura besoin de vous pour le gros œuvre, mais votre architecte en herbe peut remplir tout seul un seau avec du sable ou juste entasser des poignées de sable. La stimulation tactile du sable est irrésistible, et le travail d'équipe jette les bases des jeux coopératifs à venir.

350

détourner son attention

Vous n'arrivez pas à empêcher bébé de fouiller dans la corbeille à papier ou de dérouler le papier toilette ? Vous dites « non » encore et encore, mais la tentation est la plus forte. Essayez de dire « non » juste une fois ou deux, puis détournez son attention avec quelque chose d'aussi intéressant. S'il farfouille dans la poubelle, par exemple, donnez-lui un coffre à jouets à explorer.

351

dire « bonne nuit »

Pour rendre plus facile l'heure du coucher, faites le tour de la maison avec bébé pour dire bonne nuit aux objets familiers : « Bonne nuit, nounours. Bonne nuit, canapé. Bonne nuit, brosse à dents. Bonne nuit, lit de papa et maman », etc. Cela crée un rituel apaisant pour bébé et l'aide à élargir son vocabulaire.

352

toucher et parler

Aidez bébé à développer son sens du toucher. Remplissez un grand récipient en plastique d'objets au toucher très caractéristique, comme un chien en peluche, un poisson en plastique et une balle en caoutchouc. Quand bébé s'amuse à les sortir un par un du récipient, parlez-lui de ce qu'il touche : « Qu'il est doux, ce petit chien. »

9+

À partir de 9 mois

353

à la rencontre des animaux

Les bébés plus grands, qui sont fascinés
par les aventures des animaux, aiment en général
beaucoup cette comptine, surtout si vous
la leur récitez lorsque vous croisez un chaton :

J'ai un petit chat
Petit comme ça,
Il s'appelle Orange.
Jamais il ne mange ni souris, ni rat.
C'est un chat étrange aimant le nougat et le chocolat.
Ma tante Solange me dit c'est pourquoi il ne grandit pas.

354

jouer avec de faux aliments

Maintenant que bébé commence à manger tout seul,
préparez avec lui un faux repas, avec des aliments
et des ustensiles en plastique. Utilisez de gros
morceaux de « nourriture » qui ne présentent aucun
risque d'étouffement.

355

et on pédale !

À un an, bébé est prêt à se joindre à vous pour un
tour à vélo, dès lors qu'il porte un casque et qu'il est
bien assis dans un siège pour enfant ou une carriole
homologués. Allez sur des pistes cyclables ou des routes
peu fréquentées, et arrêtez-vous souvent pour parler
de ce que vous voyez — et pour vérifier que tout va bien.

356

jouer avec des couvercles

Laissez bébé pratiquer sa dextérité manuelle avec de gros récipients en plastique dont le couvercle se visse. Posez un couvercle sur un récipient. Montrez-lui comment le visser et le dévisser, et laissez-le faire.

357

faire des pompes à balai

Pour renforcer les mains de bébé, ses bras, la partie supérieure de son torse et son dos, tenez un manche à balai horizontalement devant lui, laissez-le attraper le manche des deux mains et soulevez-le lentement d'une dizaine de centimètres au-dessus du sol (pour qu'il ne se fasse pas mal s'il lâche). Avec un peu d'entraînement, bébé pourra se maintenir suspendu.

358

jouer au jeu des drôles de noms

Même s'ils ne savent pas encore parler et n'ont sans doute jamais vu de comique de cabaret (à part vous !), les bébés de neuf mois et plus peuvent comprendre les mots et les expressions bizarres et même une bonne plaisanterie, surtout si celle-ci les concerne :

T'appelles-tu tête de lapin ?
Placez les mains sur sa tête,

T'appelles-tu Monsieur (Madame) Câlin ?
tournez les paumes de vos mains vers le haut et haussez les épaules,

T'appelles-tu Guili Guilou ?
chatouillez le ventre de bébé,

T'appelles-tu Bébête dans le cou ?
faites « grimper » vos doigts sur le torse de bébé, jusqu'au cou,

T'appelles-tu...
dites le nom de bébé,

C'est ça ?
agitez les mains avec enthousiasme,

Hourra !
applaudissez.

359

se rappeler ses premiers mots

Qu'il s'agisse de « oie » pour « au revoir », de « ba »
pour « bras » ou de « tè » pour « chaise », faites
une liste des premiers mots de bébé, ou même
enregistrez-les sur une cassette ou un CD pour en
conserver le souvenir.

360

lui masser la tête

Quand votre tout-petit est calme, chouchoutez-le
en lui massant la tête. Caressez-lui doucement le visage
le long de l'arête du nez, puis passez sur le front
jusqu'aux tempes. Ensuite, partez du nez et passez
sur les joues. Terminez en lui massant les côtés
du visage, y compris les oreilles, et enfin l'arrière
de la tête. Recommencez s'il apprécie vos efforts.

361

les deux font la paire

Transformez le tas de chaussures en une expérience éducative. Tendez une chaussure à bébé et demandez-lui de vous aider à trouver l'autre. Commencez avec une paire ; quand bébé maîtrisera ce jeu, ajoutez-en d'autres.

362

faire parler des marionnettes

Les spectacles de marionnettes sont très utiles pour montrer à bébé comment se déroule une conversation, que ce soit entre une marionnette et lui ou entre marionnettes. Ces spectacles permettent aussi d'exprimer ses émotions. Quand votre enfant grandira, il voudra peut-être faire parler les marionnettes pour dire des choses qu'il a peur de formuler directement. Encouragez ce type de dialogue.

un peu de vitesse...

Posez une planche ou un morceau de carton contre une chaise. Montrez à bébé que ses petites voitures peuvent aller très vite le long de cette rampe, puis laissez-le essayer.

créer un chef-d'œuvre périssable

Donnez à votre apprenti Picasso tous les éléments pour produire une œuvre d'art : posez un tas de crème chantilly sur le plateau de sa chaise haute, puis ajoutez une goutte ou deux de colorant alimentaire. Montrez-lui comme c'est amusant de faire tourner la crème et de l'étaler sur le plateau avec les mains !

365

organiser un pique-nique

La chaleur du soleil, des papillons joyeux, des oiseaux qui gazouillent, une couverture moelleuse et des aliments délicieux... franchement, même les fourmis raviront bébé si vous organisez un pique-nique. La cuisine ne sera peut-être pas très sophistiquée, mais c'est la compagnie (vous !) et l'air frais qui comptent.

9+

activités

1 – l'apaiser par des battements de cœur
2 – lui parler souvent
3 – jouer avec son reflet dans la glace
4 – se laisser guider par son bébé
5 – s'allonger sous un arbre
6 – en promenade
7 – lui faire découvrir des textures différentes
8 – c'est le matin...
9 – regarder par la fenêtre
10 – l'habiller comme soi
11 – « les yeux dans les yeux...
12 – redécouvrir des airs connus
13 – produire des sons étranges
14 – faire le tour de son corps
15 – vive les chatouilles !
16 – quelques étirements...
17 – tapoter le dos de bébé
18 – porter son bébé
19 – imiter bébé
20 – à bicyclette...
21 – une chanson douce
22 – suivre la mesure
23 – « fais-moi jouer sur une couverture...
24 – voler comme l'avion
25 – transformer le change en jeu
26 – faire claquer ses lèvres
27 – jouer avec des assiettes en carton
28 – le toucher
29 – suivre un poisson des yeux
30 – souffler doucement
31 – écouter un carillon éolien
32 – faire plaisir par un sourire
33 – souffler sur un moulin à vent
34 – câliner et bercer
35 – l'encourager à rêver
36 – lui lire des histoires
37 – prononcer souvent son nom
38 – une autre chanson douce
39 – cligner des yeux
40 – lui faire un massage
41 – « fais-moi des grimaces...
42 – le laisser serrer vos doigts
43 – agiter des rubans
44 – nommer les parties du corps
45 – sentir une rose
46 – faire un tour en voiture
47 – voyager avec des jouets
48 – tout en noir et blanc...
49 – se balancer ensemble
50 – agiter les hochets
51 – chanter une chanson de bain
52 – prendre un bain avec son bébé
53 – « frotte-moi les orteils...
54 – taquiner les orteils ou les doigts
55 – jouer à cache-cache
56 – instaurer un rituel de coucher
57 – le fasciner avec un mobile
58 – faire monter la petite bête
59 – jouer avec les ombres
60 – place au changement
61 – se balancer
62 – répondre à ses cris

63 – le faire sauter sur vos genoux
64 – « embrasse-moi le ventre...
65 – trouver le bon moment
66 – lui faire faire des « abdos »
67 – des choses à regarder
68 – agiter des jouets devant bébé
69 – l'intégrer à la vie de famille
70 – on sort !
71 – lui caresser les mains
72 – changer de perspective
73 – tenir le journal de bébé
74 – encore une chanson douce
75 – admirer des frimousses de bébés
76 – bonjour, bonjour
77 – apprendre la patience
78 – tirer la langue
79 – l'orner de bracelets à clochettes
80 – faire des câlins
81 – réussir à l'habiller
82 – « pose-moi sur un gros ballon de plage...
83 – installer un portique
84 – rationner les jouets
85 – à vue d'œil
86 – faire un mini-massage
87 – l'encourager à lever la tête
88 – à la rencontre de madame Cuillère et de madame Fourchette
89 – bercer, balancer
90 – lui faire découvrir une boîte à musique
91 – faire asseoir bébé
92 – découvrir les merveilles du marché
93 – les mots pour le dire
94 – prendre le temps de l'écouter
95 – jouer avec l'eau
96 – un peu d'exercice
97 – apprendre le langage des signes pour bébés
98 – « fais-moi toucher des choses...
99 – lui faire comprendre le haut et le bas
100 – le laisser un peu nu
101 – faire des bulles
102 – siffler un petit air
103 – le mesurer
104 – le faire rouler
105 – chanter à voix haute et à voix basse
106 – les claquettes
107 – transformer votre main en marionnette
108 – lui présenter des enfants plus grands
109 – parler aux animaux
110 – se régaler
111 – jouer avec la glace
112 – le surprendre
113 – faire ensemble le ménage
114 – lui faire sentir de nouvelles textures
115 – prendre de la hauteur
116 – « soutiens-moi...
117 – souffler fort
118 – faire claquer sa langue
119 – éternuer bruyamment

120 – le porter comme un drapeau
121 – lui faire entendre une autre langue
122 – lui chantonner une chanson du soir
123 – jeu de mains, jeu de bébé !
124 – faire parler une chaussette
125 – redoubler de bruit
126 – découvrir le yoga des tout-petits
127 – chanter en famille
128 – faire tinter les pieds de bébé
129 – un peu de chahut !
130 – l'encourager à sautiller
131 – un jouet à attraper
132 – « ris quand je ris...
133 – sur une balançoire
134 – écraser des chips
135 – poser des questions
136 – varier les moyens de transport
137 – chercher à reconnaître des sons
138 – une nouvelle façon d'apprécier les livres
139 – lui organiser un concert
140 – l'amuser en chantant
141 – profiter des instants de calme
142 – l'entraîner à viser
143 – répondre à sa toux
144 – « chatouille-moi...
145 – des bulles, des bulles
146 – s'imiter mutuellement
147 – le laisser se servir de sa bouche
148 – hausser le son
149 – nommer les parties du corps
150 – lui embrasser les orteils
151 – jouer avec un parachute
152 – fabriquer un mobile vraiment mobile
153 – créer un spectacle de lumières
154 – chanter sous la pluie
155 – quelques pas de danse
156 – l'encourager à ramper
157 – encore un peu de saut
158 – lui faire du pied
159 – chatouiller sa curiosité
160 – le préparer à ramper
161 – explorer un jardin
162 – « comme le monde est grand...
163 – lancer un ballon gonflable
164 – un petit tour sur les genoux
165 – protéger le lapin
166 – à dada sur le bidet
167 – et pourquoi pas du rock'n roll...
168 – l'amuser par des bruits
169 – lui apprendre à s'asseoir
170 – créer un tapis d'éveil
171 – lui faire faire le tour de l'horloge
172 – chercher Monsieur Pouce
173 – se promener sous la pluie
174 – créer un arc-en-ciel
175 – faire un album de photos de famille
176 – marcher pieds nus
177 – faire tourner le moulin
178 – lui présenter des livres d'activités
179 – un peu de lutte à la corde
180 – suivre un jouet des yeux
181 – expériences sonores
182 – faire voler un cerf-volant

Dans la même collection :
365 activités avec mon tout-petit (1-3 ans)
365 activités avec mon enfant (3-5 ans)
1001 activités avec mon enfant (0-5 ans)
100 massages et activités de relaxation
avec mon enfant (0-2 ans)
100 activités Montessori pour préparer mon enfant
à lire et à écrire (2-6 ans)

Retrouvez-nous sur **www.grandiravecnathan.com**,
le site qui vous accompagne
dans votre rôle de parents

Retrouvez tous les livres consacrés aux bébés
et aux enfants publiés par Nathan sur notre site :
www.nathan.fr

Achevé d'imprimer en décembre 2010
Imprimé en Chine
Dépôt légal : janvier 2011